Lecciones para nuevos creyentes

Edición para alumnos

Nueva edición revisada y actualizada

por
Santiago Crane W.
Jorge E. Díaz F.
y Alicia S. de Zorzoli

CASA BAUTISTA DE PUBLICACIONES

CASA BAUTISTA DE PUBLICACIONES

Apartado Postal 4255, El Paso, TX 79914, EE. UU. de A.

www.casabautista.org

Ediciones: 1995 primera revisada; 1997, 1998, 1999, 2000
Sexta edición: 2002

Clasificación Decimal Dewey: 248.4

Tema: Vida cristiana - Guías

ISBN: 0-311-13855-1
CBP Art. No. 13855

17 M 1 02

Impreso en EE. UU. de A.
Printed in U.S.A.

Presentación a la nueva edición

Desde hace muchos años *Lecciones para nuevos creyentes* está siendo un instrumento valiosísimo en el ministerio de discipular a las personas que llegan a los pies de Cristo. Las continuas reimpresiones de este material son prueba suficiente de esto.

El reconocido siervo de Dios Santiago Crane fue inspirado por el Espíritu Santo para escribir este curso que ha ayudado a tantos pastores y líderes en la preparación y adoctrinamiento de los nuevos creyentes en Cristo.

En esta nueva edición hemos mantenido gran parte del contenido original, al mismo tiempo que tratamos de responder a algunas sugerencias que se nos han presentado en cuanto a la organización y suplementación del mismo. Básicamente, los cambios son los siguientes:

1. El orden de las lecciones. Partimos de la experiencia de salvación, los ataques del enemigo en el nuevo creyente y la obra restauradora del Señor (lecciones 1-4). Luego continúa con las bases para las disciplinas diarias del estudio bíblico y la oración (lecciones 5 y 6). A continuación se presenta la iglesia, sus funciones y sus ordenanzas (lecciones 7-9). Luego se estudia en cuanto al servicio cristiano y el uso de los dones (lecciones 10-12). Terminamos estudiando la responsabilidad del cristiano como mayordomo de Dios (lección 13).

2. En cuanto al contenido, todas las lecciones han sido revisadas y actualizadas. Algunas se han reducido en su extensión para permitir una mejor cobertura del material durante una sesión de clase.

3. Las lecciones 7, 8, 9, y 13 presentan un material nuevo.

4. En las páginas 60-62 se encuentran unas tarjetas conteniendo los pasajes para memorizar en cada lección. La sugerencia es que cada semana el alumno recorte la tarjeta correspondiente y la lleve consigo para repasar varias veces el pasaje. Si no quiere recortar las tarjetas, cada una contiene un recuadro al pie que puede marcar cuando haya memorizado el pasaje.

Introducción e instrucciones

Conque eres un nuevo creyente en Cristo. ¡Qué gusto nos da saberlo! Esto quiere decir que ahora somos hermanos. Cuando te arrepentiste de tus pecados y confiaste de corazón en Jesucristo como tu único Señor y Salvador, se produjo en ti un milagro. Naciste de nuevo, de arriba, del Espíritu. Ahora eres hijo de Dios y miembro de la familia de la fe.

Te felicito. Bienvenido a la familia. En esta gran familia tienes muchos hermanos esparcidos por el mundo entero. La vida cristiana es una vida de muchas bendiciones y responsabilidades. Es una bendición tenerte entre nosotros y queremos ayudarte a crecer y ser responsable en esta nueva vida que has empezado.

Por eso hemos preparado para ti esta serie de lecciones. Cada una está basada en la Biblia y trata de algún aspecto importante de la vida cristiana.

Para obtener el mayor provecho sugerimos que leas cada lección tres veces. La primera vez procura leerla sin interrupciones, con el fin de captar el impacto total de la enseñanza. En la segunda oportunidad vuelve a leer el material deteniéndote para meditar cada detalle, y para buscar y leer en tu Biblia los pasajes citados. La tercera vez lee con el propósito de resolver el cuestionario correspondiente.

Los cuestionarios han sido diseñados con el fin de ayudarte a aplicar estas enseñanzas bíblicas a tu nueva vida.

En los cuestionarios algunas preguntas se contestan con un simple "sí" o "no". Otras requieren que llenes los espacios dejados en blanco con las palabras correctas. Estas se encuentran en la lección misma o en el texto bíblico citado. Cuando la respuesta se halla en la lección misma, hemos impreso **en tipo más oscuro** las palabras que debes usar para contestar.

No hay nada en tu crecimiento espiritual de mayor importancia que la Biblia. Cada una de estas lecciones está basada en ella. Hay que aprovechar cada oportunidad de oírla, leerla, estudiarla, meditarla y memorizarla.

Además de comprender las lecciones y responder a las preguntas del cuestionario, debes memorizar el pasaje sugerido para cada semana. En las páginas 60 a 62 encontrarás unas tarjetas con los versículos para memorizar impresos. Una buena idea sería que cada semana recortes la tarjeta correspondiente y la lleves contigo para repasar el pasaje. También, al pie de cada una encontrarás un pequeño recuadro en el que podrás marcar que ya has aprendido ese pasaje.

¡Que Dios te bendiga en tu empeño!

Indice

Versículos para memorizar

Juan 5:24; Juan 3:16

LECCION 1

LA SEGURIDAD DE TU SALVACION

En esta primera lección vamos a pensar en la seguridad de tu salvación. Para estar seguro de que eres salvo, hay dos cosas que debes hacer: cumplir las condiciones de la salvación y confiar en Dios.

En primer lugar, descubrimos las condiciones de la salvación en Hechos 20: 21. Son el "**arrepentimiento** para con **Dios**" y "la **fe** en nuestro **Señor Jesucristo**".

Arrepentirte para con Dios significa darte cuenta de que eres **pecador y de que tu pecado te ha separado** de Dios. Significa **confesar** tus pecados a Dios y pedirle **perdón**. Significa tener el deseo de **dejar** tus pecados y cambiar tu manera de **vivir**.

Pero cuando llegas a este punto te das cuenta de que tú solo no te puedes cambiar. No bastan tus propias fuerzas para romper las costumbres de tu vida pasada. Si vas a poder cambiar, alguien tendrá que ayudarte, alguien que ha demostrado tener más **poder** que el **pecado**.

El único que ha demostrado tener tal poder es **Jesucristo**. Sólo él ha vivido una vida perfecta en este mundo, venciendo toda tentación y cumpliendo todas las demandas de la Ley de Dios. Pero hizo más que esto. Al fin de su **vida perfecta** aceptó la culpa de nuestros pecados y sufrió en la cruz el **castigo** que nosotros merecemos. Fue muerto y sepultado. Pero al tercer día resucitó. De esta manera demostró que tiene mucho más poder que el pecado.

Cuando creemos que Jesucristo **vivió, murió** y **resucitó** por nosotros, y cuando le invitamos a **entrar** en nuestro corazón como **Soberano Señor** para **gobernarnos** según su voluntad, le hemos tenido fe. Y él responde a esta fe entrando en nosotros, perdonando nuestros pecados y cambiando nuestras vidas.

9

En segundo lugar, para tener la seguridad de tu salvación debes confiar en Dios. Aquí es donde muchas personas se equivocan. En vez de confiar en Dios para la seguridad de su salvación, confían más bien en sus sentimientos.

Cuando aceptaste a Jesucristo como tu Señor y Salvador es probable que hayas tenido algunos sentimientos hermosos, tales como un gran gozo y una profunda paz. Es razonable que así haya sido, porque la salvación afecta todo el ser, y los sentimientos son parte íntegra de una persona normal. Pero debes recordar que tus sentimientos son muy cambiadizos. Fácilmente se alteran. Y si de repente ya no sientes el mismo gozo y la misma paz como al principio, ¿querrá esto decir que perdiste tu salvación? ¡De ninguna manera! La seguridad de tu salvación no depende de tus sentimientos, depende de **Dios**. En él debes confiar.

Confiar en Dios significa confiar en su poder para guardar. En **2 Timoteo 1:12** el apóstol Pablo dijo: "yo sé a quién he creído, y estoy seguro que es poderoso para guardar mi depósito para aquel día". Tú, como Pablo, has hecho un depósito en Cristo. Le has confiado el eterno cuidado de tu alma. Y como Pablo, tú también puedes estar seguro de que él tiene poder para guardar tu depósito hasta el fin.

En **Juan 10:27-30** el Señor indica que los que creen en él son sus ovejas. Luego dice: "Mis ovejas oyen mi voz, y yo las conozco, y me siguen, y yo les doy vida eterna; y no perecerán jamás, ni nadie las arrebatará de mi mano. Mi Padre que me las dio, es mayor que todos, y nadie las puede arrebatar de la mano de mi Padre." Sí, tu salvación es segura. En el versículo 24 de la epístola de **Judas** leemos que Dios "es poderoso para guardaros sin caída, y presentaros sin mancha delante de su gloria con gran alegría".

Confiar en Dios significa también confiar en su fidelidad para cumplir. Como dice **Hebreos 10:23**: "Mantengamos firme, sin fluctuar, la profesión de nuestra esperanza, porque fiel es el que prometió." ¿Qué, pues, es lo que el Señor te ha prometido?

En Juan 3:16 Dios nos afirma que tenemos ahora mismo la **vida eterna** por la fe. En Mateo 28:20 dice: "He aquí yo estoy con vosotros todos los días, hasta el fin del mundo." Juan 5:24 nos dice: "De cierto, de cierto os digo: El que oye mi palabra, y cree al que me envió, tiene vida eterna; y no vendrá a **condenación**, mas ha pasado de **muerte** a **vida**."

¿Sería el Señor Jesús capaz de mentir? ¡Por supuesto que no! Ten confianza, entonces, en que él va a cumplir todo lo que te ha prometido. Porque confiaste en él, te ha dado la vida eterna. Porque creíste en él, ya pasaste de la muerte a la vida eterna, y no podrás ser condenado jamás. La fidelidad del Señor es la garantía de tu seguridad.

Amado hermano, necesitas estar seguro de que eres salvo. Esperamos que esta breve lección te haya ayudado a comprender las bases de tan preciosa seguridad, y que desde ahora la empieces a disfrutar. Pero esto es sólo el comienzo. Hay otras cosas hermosas que Dios quiere que sepas acerca de tu nueva vida. En la próxima lección pensaremos en la gloriosa realidad de que ahora mismo Cristo vive en ti.

CUESTIONARIO SOBRE LA LECCION 1
La seguridad de tu salvación

1. En Hechos 20:20, 21 el apóstol Pablo dice que durante su estancia en Efeso no había callado nada que fuese útil para la salvación de sus oyentes. Según el versículo 21, ¿de qué cosas testificaba a todas las personas? Del _____ para con _____ y de la _____en nuestro _____ _____.

2. ¿Qué significa arrepentirte de tus pecados?

(1) Darme cuenta de que soy _____ y de que mi pecado me _____ _____ de Dios.

11

(2) _____ mis pecados a Dios y pedirle _____.

(3) Tener el deseo de _____ mis pecados y cambiar mi manera de _____.

3. ¿Te has arrepentido así de tus pecados? Sí ___ No ___

4. ¿Puedes tú solo cambiar tu vida? Sí ___ No ___

5. ¿Qué clase de persona podrá ayudarte a cambiar tu vida? Alguien que tenga más _____ que el _____.

6. ¿Quién es la única persona que ha demostrado tener más poder que el pecado? _____

7. ¿Cómo demostró el Señor Jesús que él tiene más poder que el pecado? Lo demostró cuando vivió una _____ _____ en este mundo.

8. ¿Para qué murió el Señor Jesús? Para sufrir por nosotros el _____ que merecemos.

9. Tener fe en el Señor Jesús significa dos cosas: (1) Creer que él verdaderamente _____ una vida perfecta, que _____ por nuestros pecados, y que _____; e (2) invitarlo a _____ en nuestro corazón como _____ _____ para _____ según su santa voluntad.

10. ¿Has creído tú en Cristo de esta manera? Sí ___ No ___

11. ¿De qué depende la seguridad de tu salvación, de tus sentimientos o de Dios? La seguridad de mi salvación depende de _____.

12. Menciona tres citas bíblicas que dicen que Dios tiene poder para guardarte seguro. _____; _____; _____.

13. Según Juan 3:16, ¿qué te prometió Dios si pones tu fe en él? Prometió _____ _____.

14. Según Juan 5:24, ¿qué prometió Cristo si oyes su palabra y crees? Que TENGO _____ _____; que NO VENDRE a _____ y que HE PASADO de _____ a _____.

15. Si tuvieras que morir en este momento, ¿tienes la seguridad de que irías a estar eternamente con Cristo en el cielo? Pon un círculo alrededor de la contestación que exprese tu verdadero sentir:

SI   NO   NO SE

AHORA CRISTO VIVE EN TI

Versículo para memorizar:

Gálatas 2:20

En nuestra lección anterior hablamos de lo que debes hacer para tener la certeza de que eres salvo. Recordarás que dijimos que primero debes cumplir las condiciones de la salvación y luego debes confiar en Dios. Debes confiar tanto en su poder para guardarte como en su fidelidad para cumplir todo lo que te tiene prometido.

La gloriosa verdad que has de entender esta semana es que **ya Cristo vive** en ti. Primero veremos la evidencia bíblica de que así es. Después vamos a pensar en lo que esto significa.

La verdad de que ya tienes la vida eterna está garantizada por la veracidad de Dios mismo. En Juan 3:16 él dice: "Porque de tal manera amó Dios al mundo, que ha dado a su Hijo unigénito, para que todo aquel que en él cree, no se pierda, mas tenga vida eterna." Este versículo te obliga a concluir que si has puesto tu fe en Jesús, una de dos cosas tuvo que resultar. O bien Dios te dio la vida eterna como prometió hacerlo, o es un **mentiroso**. ¡Y pensar que Dios sea capaz de mentir es el colmo de los absurdos!

La presencia de Cristo en ti está garantizada por la enseñanza inspirada de Pablo. En 2 Corintios 13:5 el Apóstol hace la siguiente pregunta: "¿O no os conocéis a vosotros mismos, que Jesucristo está en vosotros, a menos que estéis reprobados?" El sentido de esta pregunta se aclara bastante en la traducción de la Versión Popular, que dice así: "¿No se dan cuenta de que Jesucristo está en ustedes, a menos que sean falsos creyentes?" Mayor claridad no puede haber. El Señor Jesús **vive** dentro de cada **verdadero** creyente.

Pero, ¿qué significa esto? ¿Qué valor tiene el hecho de que ahora Cristo vive en ti?

13

En primer lugar, la presencia de Cristo en ti te asegura que tienes **vida eterna**. Romanos 8:10 dice: "Pero si Cristo está en vosotros, el cuerpo en verdad está muerto a causa del pecado, mas el espíritu vive a causa de la justicia." Aquí Pablo reconoce la universalidad de la muerte física. Si Cristo no vuelve antes, todos moriremos físicamente. Pero si Cristo está en nosotros, nuestros espíritus vivirán eternamente con Dios. Esta misma idea se halla en Colosenses 1:27 en la expresión "Cristo en vosotros, la esperanza de gloria". Nuestra esperanza de alcanzar la gloria celestial está garantizada por el hecho de que **ahora mismo** Cristo **vive** en nosotros.

En segundo lugar, la presencia de Cristo en ti te capacita para **vivir** una vida **verdaderamente** cristiana, sean cuales fueren las **circunstancias** que te rodean.

Gálatas 2:20 dice así: "Con Cristo estoy juntamente crucificado, y ya no vivo yo, mas vive Cristo en mí; y lo que ahora vivo en la carne, lo vivo en la fe del Hijo de Dios, el cual me amó y se entregó a sí mismo por mí."

En este hermoso texto Pablo no habla solamente de sí mismo. Expresa verdades que caracterizan también a todo verdadero creyente.

Lo primero que te enseña este pasaje es que la **muerte de Cristo** fue la **muerte** tuya. Tú, como Pablo, estás crucificado juntamente con Cristo. Cuando creíste en Cristo como tu Salvador personal, creíste que en la cruz él tomó tu lugar y sufrió el castigo que tú mereces. Es decir, aceptaste la muerte de Cristo como tu propia muerte. Entonces, puesto que ya estás crucificado juntamente con el Señor, no es posible que tengas que morir otra vez a causa de tus pecados. Ahora eres libre de toda condenación por causa de tu fe en Jesús.

Además, este texto te enseña que **la vida de Cristo** es **ahora** tu **vida**. Como Pablo, tú también puedes decir: "ya no vivo yo, mas vive Cristo en mí". ¿Te das cuenta de lo que esto significa? Significa que Cristo está en ti con el **deseo** de **vivir** en ti su **propia** vida, de transformar tu **carácter** y tu **conducta** en la semejanza del carácter y de la conducta de él.

Digo que Cristo desea hacer todo esto en ti, porque para que efectivamente lo haga, es necesario que tú se lo permitas.

La última parte de Gálatas 2:20 dice: "... y lo que ahora vivo en la carne, lo vivo en la fe del Hijo de Dios, el cual me amó y se entregó a sí mismo por mí". La presencia de Cristo en Pablo no anulaba la voluntad de Pablo. Al contrario, movido por el hecho de que Cristo había muerto por él, Pablo decidía cada día vivir "**en la fe** del Hijo de Dios".

"Fe" aquí significa dos cosas: **dependencia** y **sumisión**. El Apóstol está diciendo que él **renunciaba** a toda confianza en **sí mismo** para **depender** únicamente de **Cristo**; que él se **abstenía** de tomar decisiones **independientes** para **aceptar** y **obedecer** la voluntad de Cristo. Tal dependencia y sumisión hicieron posible que se manifestase en él la hermosa vida de Jesús.

Lo mismo, amado hermano, puede ser la experiencia tuya. Con cada nuevo amanecer debes renunciar a toda confianza en ti mismo para depender solamente del Señor. Debes abstenerte de tomar decisiones independientes para aceptar y obedecer la voluntad de Cristo. Entonces se verá en ti la vida de Jesús; serán manifestados en ti su gozo, su paz, su pureza, su propósito y su poder.

¡Qué glorioso es saber que ahora Cristo vive en ti! Su presencia hace posible que vivas cada día como un cristiano auténtico.

Pero esta hermosa posibilidad no se realiza sin lucha. En la próxima lección hablaremos de esto.

CUESTIONARIO SOBRE LA LECCION 2
Ahora Cristo vive en ti

1. ¿Cuál es la gloriosa verdad que se discute en este lección?
Que _____ _____ _____ en mí.
2. ¿Qué te enseña 2 Corintios 13:5?
Me enseña que el Señor Jesús _____ dentro de cada _____ creyente.
3. Según Romanos 8:10, ¿qué significa la presencia de Cristo en ti?

15

Me asegura que tengo _____ _____.

4. Según Colosenses 1:27, ¿qué cosa te garantiza que alcanzarás la gloria celestial?

Me lo garantiza el hecho de que _____ _____ Cristo _____ en mí.

5. ¿Para qué te capacita la presencia de Cristo en ti?

Me capacita para _____ una vida _____ cristiana, sean cuales fueren las _____ que me rodean.

6. ¿Ya aprendiste de memoria Gálatas 2:20? Sí ___ No ___

Pide a otra persona que, Biblia en mano, te escuche mientras repites el texto. Permite que la persona te corrija cada vez que te equivoques. Sigue estudiando hasta poder repetir texto y cita con absoluta perfección.

7. ¿Qué es lo primero que te enseña Gálatas 2:20?

Que la _____ de _____ fue _____ _____ mía.

8. ¿Qué es lo segundo que te enseña Gálatas 2:20?

Que_____ _____ _____ _____ es _____ mi _____.

9. ¿Qué significa el hecho de que ahora Cristo vive en ti?

Significa que Cristo está en mí con el _____ de _____ en mí su _____ vida, transformar mi _____ y mi _____ en la semejanza del carácter y de la conducta de él.

10. De acuerdo con la segunda parte de Gálatas 2:20, ¿qué hacía Pablo para que la vida de Cristo se manifestase en él?

Vivía _____ _____ _____ del Hijo de Dios.

11. ¿Qué significa "fe" en este pasaje?

Significa _____ y _____.

12. El hecho de que Pablo vivía "en la fe del Hijo de Dios" significa que él _____ a toda confianza en _____ _____ para _____ únicamente de _____; significa que se _____ de tomar decisiones _____ para _____ y _____ la voluntad de Cristo.

13. Para que se manifieste la hermosa vida de Cristo en ti ¿debes tú hacer lo mismo que hacía Pablo?

Sí ___ No ___

Versículos para memorizar:
1 Corintios 10:12-14

¿Qué tal, hermano? En medio de las circunstancias que te rodean, ¿has vivido como auténtico cristiano? Recuerda que para esto vive Cristo en ti. El desea transformar tu carácter y tu conducta en la semejanza del carácter y de la conducta de él. Y lo hará en la medida en que tú se lo permitas.

Si diariamente renuncias a toda confianza en ti mismo para depender únicamente del Señor, y si te abstienes de tomar decisiones independientes para aceptar y obedecer la voluntad de él, entonces la gloriosa vida de Cristo se manifestará en ti. Esto es lo que aprendimos en nuestro estudio de Gálatas 2:20. ¿Te acuerdas?

Es posible, no obstante, que se te haya dificultado poner en práctica lo que aprendiste. La razón es que tienes un enemigo que te quiere estorbar. Este enemigo es **el diablo**. Su propósito es hacerte **pecar**, y su arma es la tentación. Pero Dios está contigo, y en su Palabra te muestra la manera de vencer. De estas cosas estudiaremos esta semana.

En 1 Pedro 5:8 leemos estas palabras: "Sed sobrios, y velad; porque vuestro adversario el diablo, como león rugiente, anda alrededor buscando a quien devorar." El diablo está enojado contigo porque te **ha perdido**. Antes de tu conversión a Cristo, como dice 2 Timoteo 2:26, el diablo te tenía cautivo en sus lazos y hacías su voluntad. Pero ya no es así. Según Colosenses 1:13 Dios te ha librado de la potestad de las tinieblas y te ha trasladado al reino de su amado Hijo. En otras palabras, tú has cambiado de ciudadanía. Antes pertenecías al reino de las tinieblas, y el diablo ejercía autoridad sobre ti. Pero ahora eres ciudadano del reino de Cristo, y el diablo ya no tiene ningunos derechos en tu vida. Por esto está enojado contigo.

Pero el diablo está enojado también por el hecho de que ahora Dios se propone usarte como **testigo** de su **poder libertador**. Si diariamente permites que Cristo viva su vida en ti (como estudiamos la vez pasada), entonces vas a ser un instrumento efectivo en las manos de Dios para que otras personas más se salven.

Para evitar que tal cosa suceda, el diablo te ataca. Su propósito es hacerte pecar. El sabe que cualquier pecado **rompe** tu **íntima comunión** con Dios (Isaías 59:2; Salmo 66:18). Sabe también que cuando te apartas del Señor, no puedes **llevar fruto** para él, como enseña Juan 15:5. Entonces, para **debilitar** tu **testimonio cristiano**, el diablo procura hacerte pecar. El arma que emplea para ello es la **tentación**.

Ahora bien. Respecto a esta arma del diablo hay tres cosas alentadoras que decir. *En primer lugar*, no es **pecado** ser tentado. Como enseña Hebreos 4:15, el mismo Señor Jesús "fue tentado en todo según nuestra semejanza, pero SIN PECADO". El pecado no consiste en ser tentado, sino en ceder a la tentación.

En segundo lugar, Dios puede **tornar** la tentación del diablo en un **medio** de **bendición**. Santiago 1:12 dice: "Bienaventurado el varón que soporta la tentación; porque cuando haya resistido la prueba, recibirá la corona de vida..." Esto quiere decir que cuando la tentación es **vencida**, el creyente victorioso queda **fortalecido** para luchar **mejor** contra tentaciones **futuras**.

La tercera cosa alentadora es que Dios **ofrece** ayudarte a **vencer**. Su oferta está en 1 Corintios 10:12-14. Ten la bondad de aprender de memoria este pasaje. Dice: "Así que, el que piensa estar firme, mire que no caiga. No os ha sobrevenido ninguna tentación que no sea humana; pero fiel es Dios, que no os dejará ser tentados más de lo que podéis resistir, sino que dará también juntamente con la tentación la salida, para que podáis soportar. Por tanto, amados míos, huid de la idolatría."

En este importante pasaje los versículos doce y catorce son mandamientos, y el versículo trece contiene dos promesas. Las promesas están encerradas entre los mandamientos. Esto indica que están estrechamente **relacionados** entre sí. Dios **cumplirá** fielmente las dos promesas cuando tú seas igualmente **fiel** en **obedecer** los dos mandamientos.

El primer mandamiento es que no confíes para nada en ti mismo. "El que piensa **estar firme**, mire que no **caiga**." Recuerda el caso de Pedro. Confiadamente le dijo a su Maestro: "Aunque todos se escandalicen de ti, yo nunca me escandalizaré;... Aunque me sea necesario morir contigo, no te negaré" (Mateo 26:33, 35). Y todos sabemos el triste resultado. Por tanto, lo primero que tienes que hacer para vencer la tentación es desconfiar de ti mismo para depender totalmente del Señor.

El segundo mandamiento es: "**huid** de la **idolatría**". Un ídolo **no** es solamente alguna imagen o figura. Cualquier cosa que te **aparte** de una **lealtad suprema** a **Dios** es un ídolo para ti. Así es que cuando sabes que alguna cosa te provoca la tentación de pecar, debes **huir** de **esa** cosa.

Muy bien. Si has obedecido estos dos mandatos, entonces puedes confiar plenamente en que Dios te cumplirá sus dos promesas. En primer lugar, pondrá **freno** a tu enemigo. No permitirá que te ponga delante ninguna **tentación** que tú no puedas **vencer**. Y en segundo lugar, juntamente con la **tentación** permitida, te dará una **salida** para que no caigas en la **trampa**.

Tu victoria está en **Cristo**. Hebreos 2:18 dice: "Pues en cuanto él mismo padeció siendo tentado, es poderoso para socorrer a los que son tentados." Así, pues, mientras más cerca vivas del Señor, más seguro estarás.

En la próxima lección esperamos contestar una pregunta que tarde o temprano cada nuevo creyente tendrá que hacer.

CUESTIONARIO SOBRE LA LECCION 3
El enemigo que debes enfrentar

---

1. ¿Quién es tu enemigo? _____ _____.

2. ¿Cuál es su propósito? Hacerme _____.

3. ¿Por qué está enojado contigo el diablo?

1) Porque me _____ _____; y 2) porque Dios se propone usarme como _____ de su _____ _____.

4. ¿Por qué quiere el diablo hacerte pecar?

1) Porque él sabe que cualquier pecado _____ mi _____ _____ con Dios.

2) También porque sabe que cuando un creyente se aparta del Señor, no puede _____ _____ para Dios.

3) Entonces procura hacerme pecar para _____ mi
_____ _____.

5. ¿Cuál es el arma que el diablo emplea con el fin de hacerte pecar?
La _____.

6. ¿Qué tres cosas alentadoras podemos decir respecto a la tentación?

1) Que no es _____ ser tentado.

2) Que Dios puede _____ la tentación en un _____ de
_____; y

3) Que Dios _____ ayudarme a _____.

7. Explica cómo Dios puede tornar la tentación en un medio de bendición.

Cuando la tentación es _____, el creyente victorioso queda
_____ para luchar _____ contra tentaciones
_____.

8. ¿Qué indica el hecho de que en este pasaje las promesas están
encerradas entre los mandamientos?

Indica que están estrechamente _____ entre sí y que Dios
_____ fielmente las dos promesas cuando yo sea igualmente ____
___en _____ los mandamientos.

9. ¿Cuál es el primer mandamiento de este pasaje?

El que piensa _____ _____, mire que no _____.

10. ¿Cuál es el segundo mandamiento de este pasaje?

_____ de la _____.

11. Un ídolo es siempre alguna imagen o figura. _____

12. ¿Qué es un ídolo para ti?

Cualquier cosa que me _____ de una _____ _____ a
_____ es un ídolo para mí.

13. Cuando sabes que alguna cosa te provoca la tentación de pecar,
¿qué debes hacer?

Debo _____ de _____ cosa.

14. ¿Qué es lo que Dios te promete en 1 Corintios 10:13?

1) Promete poner _____ a mi enemigo. No permitirá que me
ponga delante ninguna _____ que yo no pueda _____; y 2)
Promete que con cada _____ permitida, me dará una _____
___ para que no caiga en la _____.

15. Según Hebreos 2:18, ¿dónde está tu victoria? En _____.

Versículo para memorizar:
1 Juan 1:9

Hermano mío, ¿cómo te ha ido en tu lucha con la tentación? ¿Has experimentado el gozo de la victoria?

No es la voluntad de Dios que seas derrotado en esta lucha. Pero la victoria **no** es automática. Tu naturaleza **pecaminosa** no te ayuda. Como dice **Santiago 1:14**, somos tentados cuando de nuestra propia concupiscencia (es decir, de nuestros propios malos deseos) somos atraídos y seducidos.

Cuando recibiste a Cristo como tu Señor y Salvador, Dios produjo en ti un cambio maravilloso. Naciste de nuevo (Juan 3:1-3). Recibiste el Espíritu Santo como sello de tu salvación, y él ahora vive permanentemente en ti (Efesios 1:13, 14; Romanos 8:9, 16). Pero hay una cosa que Dios NO hizo. No te quitó tu naturaleza pecaminosa. Todavía tienes dentro de ti una inclinación natural hacia el pecado. Por tal motivo, no debes **confiar** nunca en tu **propia capacidad** para **resistir** la tentación.

Esta parece ser la más difícil de todas las lecciones que tenemos que aprender. ¿Qué pasa, entonces, cuando un creyente peca? ¿Y qué debe hacer cuando peca? Estas son las dos preguntas que ahora queremos contestar.

Cuando llegas a cometer algún pecado es probable que el diablo te acuse de **no** ser **salvo**. Procurará hacerte tener tanta vergüenza que ya no quieras asistir a los cultos de la iglesia ni frecuentar el compañerismo de tus hermanos en la fe. Pero no le hagas caso. Recuerda que no hay verdad en el diablo porque es "**mentiroso**, y padre de mentira" (Juan 8:44).

¡No! No hay que hacer caso de las acusaciones del diablo. Pero sí hay que entender que el pecado siempre trae consecuencias serias. No hay

21

pecados insignificantes. Cualquier pecado interrumpe nuestra **comunión** con Dios. Por esto, cuando pecas te sientes mal. No pierdes tu salvación, pero sí pierdes de momento el **gozo** de tu **salvación**. Cuando pecas no dejas de ser hijo de Dios, pero te haces un hijo desobediente. Por lo tanto, necesitas arreglar cuentas con tu Padre a quien has ofendido.

¿Te preguntas cómo puedes arreglar tus cuentas con el Señor? La respuesta está en **1 Juan 1:9**. Necesitas aprender de memoria este breve texto. Dice: "Si confesamos nuestros pecados, él (Dios) es fiel y justo para perdonar nuestros pecados, y limpiarnos de toda maldad." Entonces, cuando pecas, hay dos cosas que hacer: **confesar** tus pecados a Dios y **confiar** en su **promesa** de perdonar y limpiar.

En relación con la confesión hay dos cosas que tomar en cuenta. La primera es que la confesión de nuestros pecados debe ser hecha **directamente a Dios**. Y la segunda es que debe ser hecha **prontamente**.

Debemos confesar nuestros pecados directamente a Dios porque **contra Dios hemos pecado**. Siendo Dios la persona ofendida, nuestra confesión debe ir dirigida directamente a él. En ninguna parte de la Biblia existe la orden de confesar los pecados al oído de un sacerdote humano.

El rey David, al arrepentirse de su doble pecado de adulterio y homicidio, clamó con angustia a Dios, diciendo: "Contra ti, contra ti solo he pecado, y he hecho lo malo delante de tus ojos" (Salmo 51:4). En tal virtud, procedió a confesarse directamente con Dios. "Mi pecado te declaré", dice en el Salmo 32:5, "y no encubrí mi iniquidad. Dije: Confesaré mis transgresiones a Jehová..."

Claro está que cuando se ofende a un prójimo, hay que confesarle **también a él** la falta cometida. Véanse Mateo 5:23, 24 y Santiago 5:16. En tales casos procede no sólo la confesión a Dios, sino también la reconciliación con el hermano. Pero siempre procede una confesión directa a Dios.

Pero además de ser hecha directamente a Dios, la confesión de nuestros pecados debe ser hecha lo más pronto posible. Tan pronto como eres **consciente** de haber **ofendido** a Dios, en ese mismo instante debes detenerte para confesarle el pecado cometido. Cualquier pecado rompe nuestra comunión con Dios. En Isaías 59:2 leemos: "...vuestras iniquidades han hecho división entre vosotros y vuestro Dios, y vuestros pecados han hecho ocultar de vosotros su rostro para no oír". Por lo tanto, no debes permitir que tal condición de separación continúe ni un momento más.

Y no es necesario que continúe. Puedes ser restaurado a una vida de comunión con Dios. ¿Qué dice 1 Juan 1:9? "Si confesamos nuestros pecados, él es fiel y justo para perdonar nuestros pecados, y limpiarnos de toda maldad."

Entonces, después de haber confesado tus pecados al Señor, debes **confiar plenamente** en su **promesa**. Debes **aceptar por fe** el hecho de tu perdón y limpieza. Y sabiendo que Dios no miente, debes **tener por cierto** que te ha cumplido su promesa y debes **darle gracias** por ello. La seguridad de tu perdón **no** depende del testimonio de tus **sentimientos**. Estos son muy cambiadizos. Tu seguridad depende del testimonio de **la Palabra** de **Dios**. Esto nunca cambia.

Por el amor inmerecido de Dios hay perdón y limpieza para el creyente que confiesa y confía. Pero esto no debe ser motivo para conformarnos con una vida de continuas caídas y restauraciones. ¡De ninguna manera! Dios tiene para nosotros algo mejor. Como nos dice Proverbios 4:18, "la senda de los justos es como la luz de la aurora, que va en aumento hasta que el día es perfecto".

En las próximas lecciones hablaremos de esta vida cristiana en continuo crecimiento. Consideraremos las disciplinas de una vida de victoria y de gozoso servicio en el Señor.

CUESTIONARIO SOBRE LA LECCION 4

Perdón y restauración

1. ¿Qué es lo que no nos ayuda en nuestra lucha contra la tentación?
Nuestra naturaleza _____.
2. ¿Qué texto bíblico enseña esta verdad? _____.

3. En virtud de que todavía conservamos nuestra naturaleza pecaminosa, ¿qué es lo que nunca debemos hacer?

No debemos _____ nunca en nuestra _____ _____ para _____ la tentación.

4. Cuando un creyente comete pecado, es probable que el diablo le acuse de _____ ser _____.

5. ¿Por qué no debemos hacer caso de las acusaciones del diablo?

Porque según Juan 8:44 el diablo es _____.

6. Cualquier pecado interrumpe nuestra _____ con Dios.

7. Aunque el creyente no pierde su salvación cuando peca, sí pierde de momento el _____ de su _____.

8. ¿Qué texto bíblico nos enseña cómo arreglar cuentas con Dios cuando hemos pecado? _____.

9. De acuerdo con 1 Juan 1:9, ¿qué debemos hacer cuando pecamos?

Debemos _____ nuestros pecados a Dios y _____ en su _____ de perdonar y limpiarnos.

10. En relación con la confesión de nuestros pecados, ¿qué dos cosas debemos tomar en cuenta?

1) Que la confesión de pecados debe ser hecha _____ a _____; 2) que debe ser hecha _____.

11. ¿Por qué debemos confesar nuestros pecados directamente a Dios?

Porque _____ _____ _____ _____.

12. Si has ofendido a un prójimo, además de confesar tu pecado directamente a Dios, ¿qué más debes hacer?

Debo confesarle _____ ____ _____ la falta cometida.

13. ¿Qué tan pronto debes confesar tus pecados a Dios?

Tan pronto como soy _____ de haberlo _____.

14. Después de haber confesado tus pecados directamente a Dios, ¿qué más debes hacer?

Debo _____ _____ en su _____; debo _____ _____ _____ el hecho de mi perdón y limpieza; debo _____ _____ _____ que me ha cumplido su promesa; y debo _____ _____ por ello.

15. ¿De qué depende la seguridad de tu perdón? _____ depende del testimonio de mis _____. Depende del testimonio de _____ _____ de _____.

Versículo para memorizar:

Josué 1:8

Para crecer espiritualmente hay algunas disciplinas que necesitas practicar durante toda tu vida. En esta lección consideraremos la primera de ellas.

Todo crecimiento, sea físico o espiritual, depende en gran parte de una alimentación adecuada. Varios pasajes bíblicos enseñan que la Palabra de Dios es comida espiritual. Se refiere a ella como pan, como leche y como alimento sólido.

En **Mateo 4:4** el Señor Jesús dijo: "No sólo de pan vivirá el hombre, sino de toda palabra que sale de la boca de Dios." Y en **1 Pedro 2:2** leemos lo siguiente: "desead, como niños recién nacidos, la leche espiritual no adulterada, para que por ella crezcáis para salvación".

Por "leche espiritual no adulterada" el Apóstol quiere decir "la **leche pura** de la **palabra**".

La leche es el alimento perfecto para los niños recién nacidos. Pero un desarrollo normal exige que después de algunos meses se empiece a tomar alimento más sólido. En 1 Corintios 3:1-3 el apóstol Pablo se lamenta de unos creyentes que se habían estancado en su crecimiento. "No pude hablaros como a espirituales", dice, "sino como a carnales, como a **niños** en **Cristo**. Os di a beber leche y no vianda (es decir: alimento sólido); porque aún no erais capaces, ni sois capaces todavía". No es la voluntad de Dios que te estanques en tu desarrollo espiritual. Pero si vas a crecer en tu nueva vida, tendrás que aprender a alimentarte diariamente con el estudio personal de la Biblia. Esto requiere tres cosas: **lectura cuidadosa, aprendizaje diligente** y **meditación frecuente**— y todo con el fin de **obedecer**.

En primer lugar, debes tomar tiempo cada día para leer la Biblia. Pero

no debes leerla simplemente para cumplir con una obligación. Debes leer cuidadosamente en busca de un **mensaje personal** de **Dios** para ti. Esto será más fácil si lees en una Biblia que tenga los capítulos divididos en párrafos o secciones.

Antes de leer, detente para **orar**. Dale gracias a Dios por el don de su Palabra. Pídele que te dé **entendimiento** y que por medio de la lectura te **enseñe** algo que te ayude a **vivir** como debes ese día. Ten a la mano papel y lápiz, y después de leer un párrafo o sección, procura contestar las siguientes preguntas.

* ¿Encuentro en este pasaje algún ejemplo que debo seguir?
* ¿Señala este pasaje algún pecado que debo confesar a Dios?
* ¿Hallo algún error que debo evitar?
* ¿Presenta este pasaje algún mandamiento que debo obedecer?
* ¿Contiene este pasaje alguna promesa que debo hacer mía por la fe?
* ¿Consigna este pasaje alguna oración que yo puedo hacer?

En segundo lugar, debes ser diligente en el aprendizaje de pasajes bíblicos escogidos. El Salmo 119:11 dice: "En mi corazón he guardado (es decir: he atesorado) tus dichos, para no pecar contra ti." Para los hebreos el corazón era el sitio de la inteligencia, lo mismo que de los sentimientos y la voluntad. De modo que lo que se nos indica aquí es que debemos **aprender** de **memoria** las palabras de Dios. El ejemplo de Cristo nos hace ver la importancia de esta práctica. Nuestro Salvador rechazó las tentaciones de Satanás con **pasajes aprendidos** del libro de **Deuteronomio**. Compárese Mateo 4:4 con Deuteronomio 8:3; Mateo 4:7 con Deuteronomio 6:16; y Mateo 4:10 con Deuteronomio 6:13.

Ponte la tarea de aprender cuando menos un nuevo texto bíblico cada semana. Habiendo escogido el texto, divídelo en sus partes naturales (éstas son indicadas por los signos de puntuación) y trabaja por partes, como sigue:

Lee la primera parte del texto varias veces, procurando repetirla de memoria después de cada lectura. Pasa luego a la parte siguiente, leyéndola y repitiéndola hasta aprenderla bien. Luego repite las dos partes juntas antes de proceder con el aprendizaje de lo que reste. Sigue este procedimiento hasta poder repetir al pie de la letra el texto completo, juntamente con su respectiva referencia o cita. Cuando lo puedas repetir todo, entonces escríbelo para fijarlo todavía mejor en la mente.

A la siguiente semana, antes de iniciar el aprendizaje de un texto nuevo, repasa bien el que ya tienes aprendido, y luego procede con el nuevo como lo hiciste con el primero. A la tercera semana repasa los dos textos anteriores (juntamente con sus respectivas citas) antes de empezar con otro. De esta manera en un año habrás aprendido un mínimo de cincuenta y dos pasajes selectos de la Biblia y habrás enriquecido en gran manera tu vida espiritual.

Por último, debes meditar frecuentemente en lo que has leído y aprendido. La meditación ha sido llamada "la digestión espiritual". Es el proceso mediante el cual el significado de nuestras lecturas (o de nuestra observación) es asimilado y convertido en fibra moral y espiritual. Cuando Josué estaba a punto de iniciar la conquista de la tierra prometida, Dios le dijo: "Nunca se apartará de tu boca este libro de la ley, sino que de día y de noche meditarás en él, para que guardes y hagas conforme a todo lo que en él está escrito; porque entonces harás prosperar tu camino, y todo te saldrá bien" (Josué 1:8).

Nota bien cómo este pasaje liga la meditación con la **obediencia**. La obediencia es la clave de todo. Si lees las Escrituras con cuidado; si eres diligente en el aprendizaje de pasajes bíblicos selectos; si meditas frecuentemente en lo que has leído y aprendido; Y SI OBEDECES— no hay duda de que crecerás en tu vida cristiana.

En la próxima lección hablaremos de tu vida de oración.

CUESTIONARIO SOBRE LA LECCION 5
Tu estudio bíblico personal

1. Indica dos pasajes bíblicos que enseñan que la Palabra de Dios es alimento espiritual. _____; _____

2. En 1 Pedro 2:2, ¿qué quiso decir el apóstol Pedro por "la leche espiritual no adulterada"?

La _____ _____ de la _____.

3. ¿Debemos seguir tomando sólo "leche espiritual" durante toda la vida? Sí ___ No ___

4. En 1 Corintios 3:1-3, ¿cómo califica el apóstol Pablo a los creyentes que son incapaces de comer "vianda", o sea alimento sólido?

Les llama _____ en _____.

5. Para alimentarte diariamente con tu estudio personal de la Biblia, ¿qué es lo que se requiere?

1) _____ _____

2) _____ _____

3) _____ _____

Y todo con el fin de _____.

6. ¿Debes leer la Biblia cada día simplemente para cumplir con una obligación? _____

7. ¿Qué debes buscar cuando lees la Biblia?

Debo buscar un _____ _____ de _____ para mí.

8. Antes de leer tu Biblia, ¿qué debes hacer?

Debo detenerme para _____.

9. ¿Qué debes pedirle a Dios antes de leer su Palabra?

Que me dé _____ y que por medio de la lectura de su Palabra me _____ algo que me ayude a _____ como debo ese día.

10. En tus lecturas bíblicas diarias, ¿estás dispuesto a procurar contestar las seis preguntas sugeridas en esta lección? Sí ___ No ___

11. ¿Qué significa el Salmo 119:11?

Que debo _____ de _____ las palabras de Dios.

12. ¿Con qué rechazó Cristo las tentaciones de Satanás?

Con _____ _____ del libro de _____.

13. Según Josué 1:8, ¿qué va ligada con la meditación?

La _____.

TU VIDA DE ORACION

Versículo para memorizar:

Juan 16:24

En la lección pasada compartimos algunas sugerencias prácticas sobre la manera de obtener el mayor provecho posible de tu estudio bíblico. Hoy vamos a hablar de tu vida de oración. En el sentido más profundo la vida cristiana **no** puede vivirse sin orar.

El supremo ejemplo de la oración es el Señor Jesús. Los cuatro Evangelios no pretenden relatar todo lo que él hizo durante su vida terrenal. Por tal motivo significa mucho el hecho de que señalan **veintidós** ocasiones distintas en que él oraba. Si el mismo Hijo de Dios no pudo vivir en este mundo sin orar, **menos** lo podremos hacer nosotros.

La Biblia habla mucho de la oración. Repetidas veces nos exhorta a orar. Nos enseña cómo orar correctamente. Nos promete grandes bendiciones cuando así oramos. Y nos presenta inspiradores ejemplos de la oración eficaz. En esta ocasión vamos a pensar en tres elementos que deben formar parte de tu vida de oración. Estos elementos son: **adoración, confesión** y **petición.**

Juan 4:23 enseña que Dios busca personas que le adoren "en espíritu y en verdad". El quiere que tú seas una de tales personas. Una manera de serlo es iniciar tu tiempo diario de oración con **alabanzas** y **acciones de gracias.** Debes alabar a Dios por lo que él es, y debes darle gracias por lo que hace.

Siempre resultan dos cosas cuando practicas la alabanza. Una es que agradas **a Dios**. "El que sacrifica alabanza me honrará", dice el Salmo 50:23. El otro resultado es que aumentas tu **propia fe**. "En ti confiarán los que conocen tu nombre", dice el Salmo 9:10. Mientras alabas a Dios por su fidelidad en cumplir sus promesas, por su conocimiento cabal de todas las cosas, por la grandeza infinita de su amor, de su sabiduría y de su poder; mientras piensas en éstas u otras de las perfecciones divinas, tus problemas tienden a hacerse progresivamente más insignificantes, y resulta más fácil dejarlos en las manos del Señor.

Pero tu alabanza debe ir acompañada de acciones de gracias. En relación con esto, lee cuidadosamente 1 Tesalonicenses 5:18 y Efesios 5:20. El primero de estos pasajes te ordena dar gracias "en todo", es decir, en toda circunstancia de la vida. El segundo te manda dar gracias a Dios "siempre" y "por todo". Otro elemento que debe formar parte de tu oración diaria es la confesión. Cualquier pecado rompe tu **íntima comunión** con **Dios**. Después de haber adorado al Señor, pues, debes detenerte para **hacer** un **examen** de tu **vida**. En esto te puede servir muy bien la plegaria del Salmo 139:23, 24 que dice así: "Examíname, oh Dios, y conoce mi corazón; pruébame y conoce mis pensamientos; y ve si hay en mí camino de perversidad, y guíame en el camino eterno." Si en respuesta a esta súplica el Señor te recuerda algún pecado que no has confesado y abandonado ya, arrepiéntete **de una vez**. Confiesa **ese pecado particular** a Dios y acepta por fe el **perdón** y la **limpieza** prometidos en 1 Juan 1:9. Al mismo tiempo, si tu pecado ha dañado a otra persona, disponte a buscar la reconciliación. Y si otra persona te ha ofendido a ti, perdónale sin demora. **No** es posible estar en comunión con Dios si estás en pugna con un prójimo.

Por último, tu oración diaria debe contener un elemento de petición. Debes pedir primero por el avance del reino de Dios y por las necesidades de otras personas antes de pedir por ti mismo. Este orden está sugerido por la Oración Modelo que Cristo nos dio en Mateo 6:9-13.

Al pedir por necesidades ajenas estarás ocupándote en el ministerio de la **intercesión**. En este ministerio se ocupa ahora nuestro Salvador. Así es que cuando pides por otros, te haces más semejante **a Cristo**. También te conviertes en soldado de primera línea en el conflicto de Dios contra las fuerzas del mal. Tu Padre celestial quiere que tomes tiempo cada día para **luchar** en **oración** a favor del **avance** del **evangelio**. En tu ministerio de intercesión sería bueno hacer un plan que te ayude a orar por todas las personas con quienes tienes alguna relación, así como por la obra de Dios en diferentes regiones de tu patria y en distintos países del mundo. Hazte una lista de peticiones para cada día de la semana. Infórmate de las necesidades de las personas por quienes vas a orar, y pide por ellas bendiciones específicas. Cuando te das cuenta de que alguna petición ha sido contestada, toma nota de ello y da gracias al Señor. De esta manera tendrás el gozo cumplido que Cristo prometió en Juan 16:24.

Tu vida de oración

1. La vida cristiana puede vivirse sin orar. _____

2. Los cuatro Evangelios, aunque no pretenden relatar todo lo que el Señor Jesús hizo durante su vida terrenal, sí señalan _____ ocasiones distintas en que él oraba.

3. Si el mismo Hijo de Dios no pudo vivir en este mundo sin orar, _____ lo podremos hacer nosotros.

4. ¿Cuáles tres elementos deben formar parte de tu vida de oración?

_____, _____, y _____.

5. ¿Qué dos cosas están incluidas en la adoración?

Las _____ y _____ de _____.

6. ¿Qué dos cosas siempre resultan cuando practicas la alabanza?

Agrado _____ _____ y aumento mi _____ _____.

7. ¿Qué hace cualquier pecado?

Rompe mi _____ _____ con _____.

8. Después de haber adorado a Dios, ¿qué es lo que debes hacer luego en tu diaria oración?

Debo detenerme para _____ un _____ de mi _____.

9. Si Dios te recuerda algún pecado que aún no has confesado y abandonado, ¿qué debes hacer?

Debo arrepentirme _____ _____ _____; debo confesar _____ _____ _____ a Dios; y debo aceptar por fe el _____ y la _____ prometidos en l Juan 1:9.

10. ¿Es posible estar en comunión con Dios y al mismo tiempo estar en pugna con un prójimo? _____

11. Cuando pides por otros, ¿en qué ministerio estás ocupándote?

En el ministerio de la _____.

12. ¿A quién te haces semejante cuando pides por otros? _____ _____.

13. ¿Qué es lo que tu Padre celestial quiere que hagas?

Quiere que yo tome tiempo cada día para _____ en _____ a favor del _____ del _____.

14. ¿Tienes algún plan que te ayude a orar por todas las personas con quienes tienes alguna relación, así como por la obra de Dios en diferentes regiones de tu país o en distintos países del mundo? ¿Sí o no? __

15. Si la respuesta a la pregunta anterior es negativa, ¿estás dispuesto a hacer una lista de peticiones para cada día de la semana y probar la efectividad de semejante ayuda? Sí ___ No ___

Versículos para memorizar:

Hebreos 10:24, 25

Si quieres continuar creciendo en tu nueva vida, además de leer tu Biblia y orar tendrás que practicar la disciplina de la comunión cristiana.

La vida espiritual se parece en algunos aspectos a la vida física. **Ambas** vidas empiezan con un **nacimiento,** y las dos exigen **crecimiento.** Cuando un niñito nace, necesita de mil cuidados. Si se le abandona, de seguro **morirá**. Para evitar semejante tragedia, Dios creó la **familia.** La divina voluntad es que cada criatura nazca en el seno de una familia responsable. Allí podrá recibir el amor, la protección, el alimento y la instrucción que su pleno desarrollo demanda.

Y no debemos pensar que el Señor tenga menos cuidado de sus hijos espirituales. También ha provisto una familia para nosotros. Cuando tú y yo nacimos de nuevo, ingresamos en **la familia de Dios** (Efesios 2:19). El es ahora nuestro Padre (2 Corintios 6:18); Cristo Jesús es nuestro hermano mayor (Romanos 8:29); y todo verdadero creyente es nuestro hermano (Mateo 23:8).

En el sentido más amplio, la familia de Dios abarca a **todos** los **creyentes** del **mundo.** Por tal motivo, vaya donde vaya, cuando un creyente se encuentra con otro, descubre que hay un lazo que los une. Este lazo es el amor fraternal cristiano. Su existencia es evidencia de salvación.

Es importante el hecho de que la familia de Dios abarca a todos los creyentes del mundo. Pero en lo que respecta a tu crecimiento espiritual, lo que importa mucho más es que esta familia tiene una manifestación local: la **iglesia**.

La palabra "iglesia" aparece más de cien veces en el Nuevo Testamento. Algunas veces se emplea para designar a todo el pueblo de Dios. Pero en la gran mayoría de los pasajes se refiere claramente a una **asamblea** o **congregación** local de **creyentes** bautizados. Te ayudará aprender de memoria Hebreos 10:24, 25 que dice lo siguiente: "Y considerémonos unos a otros para estimularnos al amor y a las buenas obras; no dejando de reunirnos, como algunos tienen por costumbre, sino exhortándonos; y tanto más, cuanto veis que aquel día se acerca."

Si te congregas fielmente con tus hermanos para adorar a Dios, dos cosas resultarán: recibirás **bendiciones** y serás hecho **portador** de **bendiciones** para **otros**.

En Mateo 18:20 Cristo dijo: "Donde están dos o tres congregados en mi nombre, allí estoy yo en medio de ellos." De manera que al reunirte con tus hermanos en la iglesia local, debes confiar en que **el Señor** está presente y debes esperar su bendición.

Esta bendición podrá ser impartida de distintas maneras. A veces serás ayudado por la explicación bíblica. A veces será un canto lo que toca tu corazón. A veces te sentirás inspirado por el testimonio de algún hermano que cuenta una reciente obra de Dios en su vida. Y a veces, durante el período de oración, te sentirás redargüido de algún pecado que debes confesar a Dios y abandonar. Las bendiciones de Dios, sin embargo, no son fines en sí mismas. Somos bendecidos para que seamos bendición. En los cultos de la iglesia somos estimulados "al amor y a las buenas obras".

Efesios 2:10 enseña que fuimos "...creados en Cristo Jesús **para buenas obras**, las cuales Dios preparó de antemano para que anduviésemos en ellas". Con este eterno propósito de Dios concuerda la doctrina de los **dones espirituales**. Posteriormente dedicaremos una lección completa a este tema. Pero de una buena vez debes comprender que cuando el Señor te salvó, te concedió un don espiritual.

Este don te hace apto para algún **servicio**, o sea **ministerio**. 1 Pedro 4:10 dice: "Cada uno según el don que ha recibido, minístrelo a los otros, como buenos administradores de la multiforme gracia de Dios." Ahora bien, en todo esto la iglesia local juega un papel importante. Tus hermanos pueden ayudarte a **descubrir** tu don. Y una vez que lo hayas descubierto pueden inspirarte a **dedicar** tu don al **servicio** del Señor. Y finalmente, tus hermanos te pueden hacer el gran favor de darte **oportunidades** para **desarrollar** tu don en el trabajo de la **iglesia**.

Sí, hermano, necesitas a la iglesia. Allí está tu familia espiritual. Sólo en el seno de esa familia podrás encontrar la protección, el estímulo, la alimentación y el amor que tu crecimiento cristiano exige. Además, sólo allí podrás encontrar la inspiración y la capacitación que te hacen falta

34

para desarrollarte en el servicio que Dios espera de ti.

¡Sé fiel, pues, en la práctica de la disciplina de la comunión fraternal cristiana! Asiste con regularidad a los cultos públicos de adoración y a las reuniones de estudio bíblico que tu iglesia provee. Y cultiva el compañerismo de tus hermanos en la fe. Una brasa sacada del fogón no tarda en apagarse. Y un creyente que **se separe** de la compañía de sus hermanos **se resfría** en su vida espiritual y **se debilita** en su capacidad para resistir la **tentación**.

CUESTIONARIO SOBRE LA LECCION 7

Tu nueva familia: la iglesia local

1. ¿En qué se parece la vida espiritual a la vida física?

En que _____ vidas empiezan con un _____ y las dos exigen _____.

2. ¿Qué le pasará a un niñito recién nacido si se le abandona?

De seguro _____.

3. Para evitar semejante tragedia, ¿qué fue lo que Dios creó?

La _____.

4. Según Efesios 2:19, ¿cómo se llama nuestra familia espiritual?

_____ _____ _____ _____.

5. En el sentido más amplio, ¿a quiénes abarca la familia de Dios?

A _____ los _____ del _____.

6. En lo que respecta a tu crecimiento espiritual, ¿dónde es importante que se manifieste la familia de Dios?

En una _____ local.

7. En la gran mayoría de los pasajes neotestamentarios donde aparece la palabra "iglesia", ¿a qué se refiere?

A una _____ o _____ local de _____ bautizados.

8. Si te congregas fielmente con tus hermanos para adorar a Dios, ¿qué dos cosas resultarán?

Recibiré _____ y seré hecho _____ de _____ para _____.

9. Según Mateo 18:20, ¿quién está presente cuando una iglesia cristiana local se congrega?

_____ _____.

10. Según Efesios 2:10, ¿para qué fuimos "creados en Cristo Jesús"?

_____ _____ _____.

11. ¿Qué doctrina concuerda con el eterno propósito de Dios de que hagamos buenas obras?

La doctrina de los _____ _____.

12. ¿Para qué te hace apto tu don espiritual?

Me hace apto para algún _____ o sea _____.

13. ¿Cómo pueden ayudarte tus hermanos en relación con tu don espiritual?

Me pueden ayudar a _____ mi don; me pueden inspirar a _____ mi don al _____ del Señor; y me pueden dar _____ para _____, mi don en el trabajo de la _____.

14. Un creyente que _____ _____ de la compañía de sus hermanos _____ _____ en su vida espiritual y _____ _____ en su capacidad para resistir la _____.

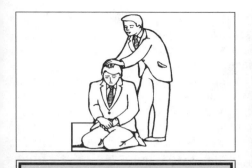

Versículos para memorizar:
Efesios 4:11, 12

En la lección anterior te presentamos a esta nueva familia tuya que es la iglesia. Vimos que la iglesia es la asamblea o congregación de los creyentes, y también que tú necesitas de la comunión con tus hermanos para crecer en tu vida cristiana.

Como todo grupo, "asamblea" o "congregación", la iglesia debe tener una **organización** para poder funcionar correctamente. También para esto debemos buscar y seguir el ejemplo de las Escrituras. Refiriéndose a la actuación de los miembros en la iglesia, Pablo recomendó a los hermanos de la iglesia en Corinto: "Hágase todo **decentemente** y con **orden**" (1 Corintios 14:40). En cuanto a la organización, para que la iglesia como "cuerpo de Cristo" pueda cumplir con sus propósitos, la Biblia dice que Dios "...constituyó a unos, apóstoles; a otros, profetas; a otros, evangelistas; a otros, pastores y maestros, a fin de perfeccionar a los santos para la obra del ministerio, para la **edificación** del **cuerpo de Cristo**" (Efesios 4:11, 12).

Nuestras iglesias se han caracterizado por practicar la democracia en todos los ámbitos de su quehacer. Es **la congregación de miembros** reunida en asamblea administrativa, o sesión de negocios, la que decide por mayoría los asuntos de interés general, o problemas que pudiesen afectar a la iglesia en su integridad espiritual y que no están definidos o decididos por las Escrituras. Este tipo de gobierno se conoce como **gobierno congregacional**. Al ser un miembro de tu iglesia, tú debes participar en las decisiones de la misma. Podemos encontrar ejemplos bíblicos en Hechos 6:1-6; 2 Corintios 8:19 y Hechos 14:23, entre otros.

Tu iglesia también tiene oficiales o personas que guían a la congregación. De acuerdo con el Nuevo Testamento, dos son los oficiales de una iglesia local. Ellos deben su existencia a **la asamblea misma** reunida en sesión administrativa, o sesión de negocios, y ellos deben dar cuenta de sus actos eclesiásticos a su respectiva congregación. Estos oficiales son los **pastores** y los **diáconos** (Filipenses 1:1).

Los pastores son nombrados (o llamados) por la respectiva iglesia local de acuerdo con las exigencias de ésta y con las características espirituales, culturales y de liderazgo que reúna el hermano que ha de servirles como su pastor. Sus requisitos se encuentran en 1 Timoteo 3:1-7; Tito 1:5-9, además de otros señalados en distintas partes del Nuevo Testamento. El pastor recibe otros nombres tales como "**anciano**" (griego, *presbítero*) según se ve en Hechos 20:17; Tito 1:5b y 1 Pedro 5:1, 2. En otros lugares de las Escrituras también se les llamó "**obispos**" (Hechos 20:28; Tito 1:7). Todos estos "títulos" neotestamentarios hacen referencia al trabajo u oficio del pastor.

Los nombres y responsabilidades que recibe nos hacen notar que el pastor merece todo nuestro **respeto, admiración** y **consideración** debido a su ministerio y por respeto a la iglesia que le ha llamado. El pastor es una autoridad espiritual en su iglesia, ungido por el Señor y apoyado por su iglesia. La sencillez de él, o sus yerros como ser humano, no debe servir como motivo para minimizar su labor y su persona.

Los diáconos derivan su nombre de la palabra griega que significa "**servidor**". Son hermanos que, sin tener un llamado pastoral, se han ganado la confianza y el prestigio gracias a su **conducta** y **espíritu de servicio** en la iglesia local. Al igual que el pastor su "descripción de servicio", en general, se encuentra respaldada por la Biblia. Lee Hechos 6:1-6 y 1 Timoteo 3:8-13. Desde el momento que han sido elegidos y reconocidos solemnemente por la iglesia, merecen todo nuestro respeto y apoyo a su labor. El diácono debe estar lealmente al lado de su pastor para apoyarle en los planes que competen a la iglesia e incluso en aquellos asuntos personales o delicados que pudieran presentarse en la congregación.

El propósito que Dios tiene para la iglesia ha de cumplirse por medio de cinco **funciones** o **tareas básicas**, que son: 1) adoración, 2) proclamación, 3) educación, 4) servicio social y 5) compañerismo. El programa bien equilibrado de una iglesia incluye estas cinco funciones, desarrolladas de conformidad con su contexto, manteniendo el equilibrio de las cinco, sin menoscabo de ninguna.

Mediante estas funciones o ministerios, la iglesia desarrolla un programa integral cuyo propósito es alcanzar con el evangelio a quienes no son creyentes y discipularlos para que lleguen a ocupar su lugar en el reino de Dios.

Consideremos brevemente cada función:

Adoración: Su propósito es exaltar el nombre del Señor. Debes ofrecer tu adoración con una actitud espiritual y sincera para glorificar al Padre que está en los cielos.

Proclamación: Es responsabilidad de todo cristiano anunciar las buenas nuevas de salvación a todos cuantos pueda. De esta manera estará haciendo su parte en la extensión del reino de Dios.

Compañerismo: Es en el tiempo de comunión con los hermanos cuando los nuevos creyentes pueden captar la manera cristiana de vivir. Como parte de tu nueva familia aprenderás a dar y recibir para la edificación mutua.

Enseñanza: El Señor Jesús indicó a sus discípulos que debían enseñar a otras personas a cumplir todas las cosas que él había mandado (Mateo 28:20). Mediante el cumplimiento de este mandato, tu iglesia te ayuda a crecer en el conocimiento del Señor.

Servicio social: Mediante este ministerio tu iglesia cumple su función de ser sal y luz en el mundo, mostrando la presencia de Cristo en medio de los pobres, los tristes, los desamparados.

La iglesia es fiel en cumplir su ministerio cuando se dedica a realizar estas cinco funciones. Y tú, como parte de tu iglesia, debes buscar cuál es el lugar de servicio que Dios, mediante el Espíritu Santo, ha designado para ti. Al ocupar ese lugar y desarrollar tus dones, estarás ayudando a que tu iglesia cumpla su función. En la próxima sesión continuaremos estudiando acerca de la iglesia y cómo cumple con las disposiciones que el Señor dejó establecidas para ella.

CUESTIONARIO SOBRE LA LECCION 8

Cómo funciona tu iglesia

1. ¿Qué debe tener la iglesia para poder funcionar correctamente? Una _____.

2. A los creyentes de la iglesia en Corinto Pablo les recomendó dos maneras en que debían hacer el trabajo. ¿Cuáles son? _____ y con _____.

3. De acuerdo con Efesios 4:11, 12, ¿cuál es el resultado de que cada miembro de la iglesia cumpla su función?
La _____ del _____ _____ _____.

4. ¿Quién decide los asuntos generales de la iglesia? _____
_____ _____ _____.

5. ¿Cuál es la forma de gobierno de nuestras iglesias? El _____
_____.

6. Menciona los dos oficiales de la iglesia local que aparecen en el Nuevo Testamento. _____ y _____.

7. ¿Quién nombra estos oficiales? _____ _____ _____.

8. ¿Qué otros nombres reciben los pastores en el Nuevo Testamento? _____ y _____.

9. ¿Cómo debemos tratar a nuestro pastor? Con _____,
_____ y _____.

10. ¿Qué significa la palabra diácono? _____.

11. Menciona dos características de los diáconos. Buena _____ y _____ _____ _____.

12. El propósito de Dios para la iglesia se cumple mediante las cinco _____ o _____ _____ de la misma.

13. Menciona las cinco funciones de la iglesia. _____,
_____, _____, _____ y _____
_____.

14. Aunque como miembro de la iglesia tu participación es necesaria en todas estas funciones, selecciona una a la que quisieras dedicarte en manera especial. _____.

15. Explica brevemente qué tarea crees que Dios está pidiendo de ti para que tu iglesia cumpla esa función.

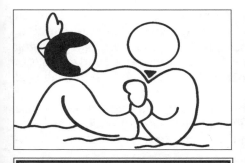

Versículos para memorizar:
Mateo 28:19, 20; 1 Corintios 11:26

Hay dos ordenanzas que pertenecen a la iglesia: el **bautismo** y la **cena del Señor**. Ambas son instrucciones que dejó el Señor Jesús y que cada cristiano desea obedecer. *En primer lugar,* consideremos el significado de tu bautismo. El Nuevo Testamento enseña repetidas veces *quiénes deben ser bautizados*: **solamente aquellas** personas que **ya son creyentes** en el Señor y Salvador Jesús.

El creyente no se bautiza con el propósito de alcanzar la salvación, sino porque ya la ha alcanzado. El bautismo no puede salvar; no completa la salvación porque Cristo es suficiente como Salvador.

¿Cuándo debe ser bautizado el creyente? En Mateo 28:19 Cristo dijo: "Id, y haced discípulos a todas las naciones, bautizándolos en el nombre del Padre, y del Hijo, y del Espíritu Santo." El orden aquí es importante. Jesús mandó que las personas fueran hechas discípulas de él antes de ser bautizadas. Entonces este pasaje enseña que **antes de bautizarse, uno debe haber tomado la decisión personal de seguir a Jesús**.

Hechos 2:41 nos relata lo que ocurrió en el día de Pentecostés. Cuando el apóstol Pedro terminó de predicar "...los que recibieron su palabra fueron bautizados; y se añadieron aquel día como tres mil personas". La expresión "recibir la palabra" da la idea de oír el mensaje, entenderlo y estar de acuerdo con él. Esto nos indica que es requisito para ser bautizado el haber **oído**, **entendido** y **aceptado** el mensaje de la **salvación**.

Esto contraría la práctica de bautizar a los bebés y a los niños pequeños.

¿Cómo debe ser practicado el bautismo de los creyentes? La respuesta bíblica es clara. Debe ser por la **total inmersión** en agua.

Miremos las enseñanzas del Nuevo Testamento. Los pasajes más claros a este respecto son Romanos 6:3-5 y Colosenses 2:12. En este último, el apóstol Pablo dijo a los creyentes en Colosas, que habían sido "sepultados con él (con Cristo) en el bautismo, en el cual fuisteis también resucitados con él". El bautismo es una sepultura y una resurrección. Por tanto, el creyente tiene que ser puesto totalmente debajo del agua para ser levantado inmediatamente después. Pretender bautizar de otra manera es apartarse de la enseñanza bíblica y destruir el significado del acto.

Aun la misma palabra *bautismo* en el griego significa inmersión. La palabra *"BAPTIDZO"* no fue traducida al castellano sino fue transliterada fonéticamente. La palabra significa **sumergirse, zambullirse** o **inundarse**.

¿Para qué se bautiza un creyente? Lo hace con dos propósitos. El primero es el de **obediencia** a Jesús como su Señor. La autoridad con que Cristo ordenó que sus discípulos fueran bautizados es completa. Completa también debe ser la obediencia de cada creyente. El creyente se bautiza también para dar un testimonio simbólico de la **realidad** de su **salvación**. El bautismo cristiano es un símbolo de muerte, de sepultura y de resurrección. Así es que al ser puesto debajo del agua y al ser levantado otra vez, el creyente está testificando que la base de su salvación es la muerte y la resurrección de Jesús (Romanos 4:25; 1 Corintios 15:3, 4). Está testificando también que ha muerto a su pasada vida de pecado y que ha resucitado espiritualmente con Cristo para llevar una vida nueva (Romanos 6:3, 4).

Ahora, la pregunta final: *¿Has testificado tú por medio del bautismo bíblico?* Si no, busca una iglesia que enseña fielmente la doctrina cristiana y que practica el bautismo por inmersión conforme a las enseñanzas del Nuevo Testamento, y pide que te bauticen.

La Cena del Señor es la segunda ordenanza de la iglesia y fue instituida por Jesús en "la noche que fue entregado" (1 Corintios 11:23). Los cuatro evangelistas y Pablo nos cuentan la historia (Mateo 26:17-29; Marcos 14:12-25; Lucas 22:7-23; Juan 13:21-30; 1 Corintios 11:23-26). Sería una buena idea leer estos pasajes durante la semana para entender el significado de esta ordenanza.

Recordamos que el pan y el cordero de la Pascua para los judíos representaban simbólicamente el sufrimiento de sus padres y el milagro del éxodo. Jesús reemplazó la Pascua para sus seguidores en aquella noche con otro acto simbólico.

Jesús dijo: "esto es mi cuerpo" y "esto es mi sangre" antes de la resurrección, cuando estaba sentado con sus discípulos y cenando con ellos. Por eso habló **simbólicamente** y no **literalmente**. Debemos interpretar esto en la misma forma que interpretamos otras expresiones simbólicas de Jesús, tales como "yo soy el pan de vida" (Juan 6:35); "yo soy la vid verdadera" (Juan 15:1); y otras. Lo que Jesús estaba diciendo era que el pan y el vino representaban, simbólicamente, su **cuerpo** y su **sangre**.

Cuando la iglesia celebra la Cena es un acto simbólico que nos hace recordar **lo que Cristo hizo por nosotros en la cruz y su promesa de volver**. Por esto, únicamente participan de este acto quienes han **creído** en Cristo y le han **obedecido** en el **bautismo**.

Al participar en la cena cada creyente expresa **gratitud** a Dios por lo que él hizo por nosotros en Jesucristo. Sin Cristo todos estaríamos perdidos para siempre. La participación en la Cena ofrece a cada creyente el privilegio de investigar su propia relación con Cristo y con la iglesia. Es un momento de **contemplación**, de **consagración** a quien dio todo por nosotros, y de **recordación** de quien dijo: "Haced esto en memoria de mí" (1 Corintios 11:24).

El culto en el cual se celebra la cena del Señor ofrece el privilegio de celebrar el compañerismo cristiano. Por eso muchas iglesias llaman al acto la "comunión", es decir una "común unión".

Además, la Cena es un acto de **proclamación**. Al participar en ella proclamamos dos verdades. Una, que nuestra **salvación** se **basa** en lo que Cristo hizo por nosotros en la cruz. Y la segunda es que nuestra **esperanza** para el futuro se basa en **la promesa de Jesús de volver**.

CUESTIONARIO SOBRE LA LECCION 9

Tu iglesia y sus ordenanzas

---

1. ¿Cuáles son las dos ordenanzas que pertenecen a la iglesia?
El_____ y la _____ _____ _____.
2. Según el Nuevo Testamento, ¿quiénes deben ser bautizados?
_____ _____ personas que _____ _____
_____ en Jesús.
3. ¿Por qué es importante el orden en que aparecen las expresiones de Mateo 28:19?
_____
_____

4. Hechos 2:41 indica que el requisito para ser bautizado es haber _____, _____ y _____ el mensaje de la _____.

5. ¿Es verdad que el Nuevo Testamento enseña que los bebés y los niños pequeños deben ser bautizados? Sí ___ No ___

6. ¿Cómo debe ser practicado el bautismo de los creyentes? Debe ser por la _____ _____ en agua.

7. La palabra *"BAPTIZDO"* en griego significa _____, _____ o _____.

8. ¿Cuáles son los propósitos del bautismo del creyente? El primero es la _____ a Jesús como su Señor. El segundo es para dar un testimonio simbólico de la _____ de su _____.

9. Cuando Jesús dijo "esto es mi cuerpo" y "esto es mi sangre", habló _____ y no _____. El estaba diciendo que el pan y el vino representaban, simbólicamente, su _____ y su _____.

10. ¿Qué recuerdan los creyentes mediante el acto de la cena del Señor? Se recuerda _____ _____ _____ _____ _____ _____ _____ _____ ____ _____ _____ _____ _____.

11. ¿Quiénes participan de este acto? Unicamente quienes han _____ en Cristo y le han _____ en el _____.

12. ¿Qué expresa el creyente al participar de la Cena? El creyente expresa _____ a Dios por lo que él hizo por nosotros en Jesucristo.

13. Para el creyente, el momento de su participación en el acto de la cena del Señor es un momento de _____, _____ y _____.

14. También es un acto de _____.

15. ¿Qué dos verdades se proclaman en el acto de la Cena? Que nuestra _____ se _____ en lo que Cristo hizo por nosotros en la cruz. Que nuestra _____ para el futuro se basa en _____ _____ _____ _____ _____ _____.

Versículos para memorizar:
1 Corintios 10:31, 32

S er testigo no es algo opcional para el cristiano. Ya eres testigo por el simple hecho de que la gente te está observando. Lo que Dios pide es que seas un testigo fiel. Estudiaremos en esta ocasión el testimonio de tu vida.

Una vida auténticamente cristiana se ajustará a las normas establecidas en 1 Corintios 10:31, 32, que dice: "Si, pues, coméis o bebéis, o hacéis otra cosa, hacedlo todo para la gloria de Dios. No seáis tropiezo ni a judíos, ni a gentiles, ni a la iglesia de Dios." Negativamente esto significa que debemos **abstenernos** de todo lo que pudiera dar **pretexto** para que un inconverso se niegue a **creer** en el **evangelio**, o para que un creyente **se desvíe** de los caminos del Señor. Positivamente significa que debemos procurar que todo lo que hagamos **glorifique** a **Dios**. ("Glorificar" a Dios es **manifestar** al mundo las **excelencias** de su **ser**.)

Las Escrituras subrayan la importancia del testimonio vivido tanto negativa como positivamente. Ejemplo del impacto negativo de un testimonio infiel tenemos en la vida de David. Por descuidar su obligación de salir al frente de los ejércitos del Señor, David se expuso a la tentación. En consecuencia cayó en el doble pecado de adulterio y homicidio. Cuando se arrepintió por fin, Dios tuvo misericordia de él y le perdonó. Pero una secuela de desgracias le sobrevino como consecuencia inevitable de su pecado. Y toda aquella cadena de calamidades comenzó con esta advertencia del profeta Natán: "Jehová ha remitido tu pecado; no morirás. Mas por cuanto con este asunto hiciste **blasfemar** a los enemigos de Jehová, el hijo que te ha nacido ciertamente morirá" (2 Samuel 12:13, 14).

En contraste, la bondad de un testimonio positivo está recalcada en 1

Pedro 3:1, 2. Hablaba el Apóstol a mujeres cristianas cuyos maridos no eran creyentes. "Estad sujetas a vuestros maridos", les dijo, "para que también los que no creen a la palabra, sean ganados sin palabra por la conducta de sus esposas, considerando vuestra conducta casta y respetuosa." Aprendemos aquí que la **conducta diaria** del creyente puede ser el **factor decisivo** en la evangelización.

Esto **no** quiere decir que una persona puede ser salva sin que nadie le explique el evangelio. Lo que quiere decir es que hay personas que no estarán dispuestas a escuchar el evangelio hasta que no conozcan de cerca a alguien cuya conducta habitual sea auténticamente cristiana.

En otras palabras, el testimonio cristiano vivido prepara el camino para el testimonio cristiano hablado.

Para testificar positivamente con tu vida a favor del evangelio es necesario que **Cristo mismo** viva su propia **vida** en ti. Recuerda lo que aprendiste en la Lección No. 2.

Pero, ¿cómo vive Cristo en ti? ¡Por medio del **Espíritu Santo**! Cuando tú invitaste al Señor Jesús a entrar en tu vida, él entró por medio del Espíritu. Así es que en el instante de tu conversión a Cristo recibiste el Espíritu Santo, y él ahora vive permanentemente en ti. Pasajes que enseñan esta importante verdad son: **Romanos 8:9; Gálatas 4:6; 1 Corintios 6:19 y Efesios 1:13, 14**.

Ahora bien, el Espíritu Santo mora en ti con el propósito de **glorificar a Cristo** (Juan 16:14), es decir: con el propósito de usarte como instrumento para manifestar al mundo las excelencias de Jesús. Y lo hace de dos maneras: reproduciendo en ti el **carácter de Cristo y** librándote del **dominio** del **pecado**.

Gálatas 5:22, 23 dice que "el fruto del Espíritu es amor, gozo, paz, paciencia, benignidad, bondad, fe, mansedumbre, templanza". Estas nueve virtudes no son otra cosa que una descripción del **carácter** de **Jesucristo**. Cuando permitimos que el Espíritu nos controle por completo (que nos "llene"), él reproduce en nosotros su "fruto". Es decir, por medio de nuestras vidas diarias el Espíritu manifiesta al mundo el carácter de Cristo mismo. Y en estas mismas condiciones el Espíritu también nos libera del dominio de nuestra naturaleza pecaminosa carnal. Como dice Romanos 8:2, la ley del Espíritu de vida en Cristo Jesús nos ha librado de la ley del pecado y de la muerte.

En una palabra, para testificar positivamente a favor del evangelio por medio de tu vida, necesitas ser lleno del Espíritu (Efesios 5:18). Para que lo seas, tienes que hacer cuatro cosas.

Ante todo, tienes que **desear** que el Espíritu te **haga** más **semejante** a **Cristo** en tu **carácter** y **conducta**. Luego tienes que **confesar** a Dios y abandonar cualquier **pecado** que esté interrumpiendo tu **íntima comunión** con él. En seguida tienes que someterte **por completo** a la **voluntad** divina. Y por último, tienes que **rechazar** toda **confianza** en ti mismo para **depender únicamente** del poder y la dirección del Señor.

Cuando cumples estas cuatro condiciones el Espíritu Santo te llenará. Te llenará de su glorioso fruto; reproducirá en ti el carácter de Jesucristo. También te llenará de su poder, librándote del dominio de tu naturaleza pecaminosa carnal. Entonces la gente observará en ti un carácter y una conducta auténticamente cristianos. ¡Habrás testificado fielmente con tu vida!

Tal testimonio será un instrumento del Espíritu para convencer a otras personas de su necesidad espiritual y para disponerlas a escuchar favorablemente el mensaje de salvación. De esta manera tu testimonio cristiano **vivido** habrá preparado el camino para un testimonio cristiano **hablado**.

En nuestra próxima lección hablaremos del testimonio de tu palabra.

CUESTIONARIO SOBRE LA LECCION 10

El testimonio de tu vida

---

1. Según 1 Corintios 10:31, 32, ¿cuáles son las normas para que una vida sea auténticamente cristiana?

(1) Negativamente, que debemos _____ de todo lo que pudiera dar _____ para que un inconverso se niegue a _____ en el _____, o para que un creyente _____ _____ de los caminos del Señor; y (2) Positivamente, que debemos procurar que todo lo que hagamos _____ a _____.

2. ¿Qué significa "glorificar" a Dios?

Significa _____ al mundo las _____ de su _____.

3. ¿Cuál fue el impacto negativo del testimonio infiel de David? Con su

pecado hizo _____ a los enemigos de Dios.

4. ¿Pasa lo mismo cuando tú y yo pecamos? Sí ___ No ___

5. ¿Qué aprendemos de 1 Pedro 3:1, 2?

Que la _____ _____ del creyente puede ser el _____
_____ en la evangelización.

6. ¿Quiere esto decir que una persona puede ser salva sin que nadie le explique el evangelio? _____

7. Para que tu vida testifique positivamente a favor del evangelio, ¿qué cosa es necesaria?

Que _____ _____ viva su _____ en mí.

8. ¿Cómo vive Cristo en mí?

Por medio del _____ _____.

9. Indica cuatro pasajes del Nuevo Testamento que enseñan que el Espíritu Santo mora en cada creyente.

_____; _____; _____;

_____.

10. ¿Con qué propósito mora el Espíritu en ti?

Con el propósito de _____ a _____.

11. ¿De qué manera te usa el Espíritu como instrumento para manifestar al mundo las excelencias de Jesús?

Reproduciendo en mí el _____ _____ _____ y librándome del _____ del _____.

12. ¿Qué cosa es "el fruto" del Espíritu?

Una descripción del _____ de _____.

13. Para ser "lleno del Espíritu" (Efesios 5:18), ¿qué tienes que hacer?

(1) _____ que el Espíritu me _____ más _____ a _____ en mi _____ y _____.

(2) _____ a Dios y _____ cualquier _____ que esté interrumpiendo mi _____ _____ con él.

(3) Someterme _____ _____ a la _____ divina.

(4) _____ toda _____ en mí mismo para _____ _____ del Señor.

14. El testimonio cristiano _____ prepara el camino para el testimonio cristiano _____.

Versículos para memorizar:
2 Timoteo 1:7, 8a

¡Felicitaciones, hermano, por tu sostenido interés en completar esta serie de lecciones! La vez pasada hablamos del testimonio de tu vida. Dijimos que el testimonio cristiano **vivido** prepara el camino para el testimonio cristiano **hablado**. Así es que ahora estudiaremos el testimonio de tu palabra.

La Biblia insiste en la necesidad de hablar de nuestra fe. A un hombre de quien había sacado muchos demonios, Cristo dijo: "Vete a tu casa, a los tuyos, y cuéntales cuán grandes cosas el Señor ha hecho contigo, y cómo ha tenido misericordia de ti" (Marcos 5:19). Cuando el apóstol Pablo estaba luchando para introducir el evangelio en la pagana ciudad de Corinto, el mismo Señor Jesús se le apareció en visión de noche y le dijo: **"No temas**, sino **habla**, y **no calles"** (Hechos 18:9).

Pero hay un pasaje todavía más llamativo. En la ciudad de Cesarea el capitán romano Cornelio buscaba el camino de Dios. Un día mientras oraba, un ángel entró donde estaba y le dio instrucciones de mandar traer a Simón Pedro. ¿Para qué tenía que traer a Pedro? He aquí la respuesta: "El te hablará palabras por las cuales serás salvo tú, y toda tu casa" (Hechos 11:14). ¿Te das cuenta de lo que esto significa? Quiere decir que el mensaje de salvación tiene que ser comunicado por medio de **palabras humanas**. El ángel no pudo explicarle a Cornelio la manera de salvarse. Esto sólo pudo hacerlo otro hombre de carne y hueso. Tú y yo, pues, tenemos la solemne obligación de hablar de nuestro Salvador.

Esto provoca una lucha. El diablo no quiere que testifiques con tu palabra. Sus armas principales para impedírtelo son la **vergüenza** y el **temor**. Pero Dios está contigo, y él es más fuerte que el diablo. Indicamos en la lección pasada que para testificar positivamente con tu vida necesitas ser "lleno" del Espíritu Santo. Lo mismo es cierto cuando hablas de tu fe. Necesitas el **poder** del **Espíritu** de Dios para vencer la tentación de callar.

Aprende de memoria 2 Timoteo 1:7, 8a que dice así: "Porque no nos ha dado Dios espíritu de cobardía, sino de poder, de amor y de dominio propio. Por tanto, no te avergüences de dar testimonio de nuestro Señor." Cuando el diablo te quiere callar, resístelo en la firmeza de fe que estas palabras inspiran.

Cuando las autoridades de Jerusalén ordenaron a los apóstoles Pedro y Juan que dejasen de hablar de Jesucristo, ellos reunieron a la **iglesia** para **orar**. En su oración hicieron la siguiente petición: "Señor, mira sus amenazas, y concede a tus siervos que con todo **denuedo** hablen tu palabra" (Hechos 4:29). Luego leemos que "cuando hubieron orado, el lugar en que estaban congregados tembló; y todos fueron llenos del Espíritu Santo, y **hablaban** con **denuedo** la palabra de Dios" (Hechos 4:31). Dios llena de valor a sus hijos cuando están resueltos a hablar por él.

Pero cuando hablas, ¿qué vas a decir? Para empezar, puedes **invitar** a tus amigos a acompañarte a **escuchar** a alguien que sepa **explicar** el evangelio. Además, puedes **contar** a tus amigos lo que **Cristo ha hecho** en tu vida. Pero también debes aprender a hacer una **presentación bíblica** del **evangelio**.

Debes saber decir a quien quiera escucharte que el evangelio se compone de cinco verdades vitales. *La primera* es la verdad **del amor**. Dios nos ama y quiere que tengamos una vida eterna y abundante. Textos que enseñan esto son Juan 3:16 y Juan 10:10. *La segunda* es la verdad **del pecado**. Todos hemos pecado, y nuestro pecado nos separa de Dios y nos priva de la vida eterna y abundante que él quiere darnos. Esto se comprueba con Romanos 3:23 y la primera parte de Romanos 6:23. *En tercer lugar* está la verdad **del substituto**. Jesucristo tomó nuestro lugar en la cruz y pagó por nosotros el precio completo de la salvación, haciendo posible que volvamos a Dios. Romanos 5:8 y Juan 14:6 establecen esto. *La cuarta* verdad es la verdad **del arrepentimiento**. Para volver a Dios tenemos que arrepentirnos de nuestros pecados. Esto se enseña claramente en Hechos 3:19. *Y por último* tenemos la verdad **de la fe**. La vida eterna y abundante es un regalo que Dios nos ofrece en Cristo. Será nuestra si por la fe lo recibimos como nuestro Señor y Salvador. Romanos 6:23, Juan 1:12 y Apocalipsis 3:20 son textos útiles para aclarar lo que significa creer.

No estamos diciendo que esta es la única manera de hacer una presentación bíblica del evangelio. Pero es una buena manera de hacerlo.

Aconsejamos que aprendas estas cinco verdades vitales y que en tu Biblia o Nuevo Testamento marques los diez textos que se relacionan con ellas. Y cuando Dios te dé la oportunidad, usa este sencillo plan para enseñar las buenas nuevas de salvación.

1. El testimonio cristiano _____ prepara el camino para el testimonio cristiano _____.

2. ¿Insiste la Biblia en la necesidad de hablar de nuestra fe? Sí ___ No ___

3. ¿Quería Cristo que el endemoniado liberado hablara de lo que el Señor había hecho por él? Sí ___ No ___

4. ¿Qué dijo Cristo a Pablo en Hechos 18:9?

_____ _____, sino _____ y _____ _____.

5. ¿Qué nos enseña Hechos 11:14?

Que el mensaje de salvación tiene que ser comunicado por medio de

_____ _____.

6. ¿Qué armas emplea el diablo para impedir que hables de Cristo?

La _____ y el _____.

7. ¿Qué necesitas para vencer la tentación de callar?

Necesito el _____ del _____ de Dios.

8. ¿Ya aprendiste de memoria 2 Timoteo 1:7, 8? Sí ___ No ___

9. ¿Qué hicieron Pedro y Juan cuando las autoridades les ordenaron que ya no hablasen más de Jesucristo?

Reunieron a la _____ para _____.

10. ¿Qué le pidieron al Señor?

Que les concediera _____ para hablar.

11. Cuando el Espíritu Santo les llenó, ¿qué hacían?

_____ con _____ la Palabra de Dios.

12. Cuando tú hablas de Cristo, ¿de qué tres maneras puedes hacerlo?

1) Puedo _____ a mis amigos a acompañarme a _____ a alguien que sepa _____ el evangelio.

2) Puedo _____ a mis amigos lo que _____ _____ _____ en mi vida.

3) Puedo hacer una _____ _____ del _____.

13. En esta próxima semana, ¿estás dispuesto a testificar a alguien de una de estas tres maneras? Sí ___ No ___

14. ¿De qué cinco verdades vitales se compone el evangelio?

1) La verdad _____ _____

2) La verdad _____ _____

3) La verdad _____ _____

4) La verdad _____ _____

5) La verdad _____ _____ _____

15. ¿Ya marcaste en tu Biblia o Nuevo Testamento los diez textos que se relacionan con estas cinco verdades vitales? Sí ___ No ___

LECCION 12
EL ESPIRITU SANTO Y TU DON ESPIRITUAL

Antes de ir a la cruz Jesús prometió a sus seguidores que al regresar al Padre les mandaría al Espíritu Santo quien iba a vivir en ellos. Les iba a **consolar, enseñar, guiar** y **equipar** para poder llevar a cabo el trabajo de Dios que Jesús había comenzado. Después de la resurrección Jesús dijo a los seguidores que tenían que esperar hasta que recibieran el poder del Espíritu Santo. No podían empezar la obra de la iglesia sin la presencia y el poder de él (Lucas 24:45-49; Hechos 1:4, 8).

Los seguidores de Jesús esperaban en Jerusalén, unidos y orando. Al llegar el día de **Pentecostés** se cumplió la promesa y el Espíritu de Dios cayó sobre ellos con gran poder. Todos testificaban y Pedro tuvo que predicar para aclarar lo que significaba esa experiencia. Tú puedes leer esta historia de la iglesia primitiva en Hechos, capítulo dos.

Gracias a Dios ni tú ni yo tenemos que esperar la llegada del Espíritu Santo a nuestras vidas. El Nuevo Testamento aclara que el Espíritu Santo vive en cada creyente desde el momento de su nuevo nacimiento. Busca y lee Efesios 1:13, 14. Nota que **al oír las buenas nuevas y creer en Jesús como Salvador personal** el Espíritu de Dios llega a la vida del creyente y sella su experiencia para siempre.

Como creyente nuevo tú has tenido esta experiencia. Oíste el evangelio, creíste en Jesús y él te selló. Ahora el Espíritu Santo vive en ti. Puedes estar seguro de esto. Su presencia te da la seguridad de que eres hijo de Dios. Además de asegurarte que eres hijo de Dios, el Espíritu Santo te habilita para que puedas vivir la vida cristiana y servir a Dios. Como dice el versículo para memorizar de esta semana, tu cuerpo ha llegado a ser el templo del Espíritu Santo (1 Corintios 6:19). Ya no tienes que confiar en tu propio poder. El poder del Espíritu es tuyo y mora dentro de ti (Hechos 1:8).

Hay dos palabras en el Nuevo Testamento que enfocan la obra del Espíritu Santo en los creyentes. Son "fruto" y "dones". Tu testimonio cristiano depende de quién eres y de lo que haces. El fruto del Espíritu te ayuda **a ser quien Dios quiere que seas**. El don (o los dones) del Espíritu te **capacita para servirlo**.

En Gálatas 5:22, 23 puedes encontrar una lista de virtudes que el Espíritu Santo te ha dado. Este **fruto** del Espíritu ha de ser evidente en **cada creyente**. La virtud que sobresale de esta lista es el amor. Las demás virtudes mencionadas en este pasaje pueden considerarse como "el amor en acción".

El fruto del Espíritu ha de ser igual en cada cristiano. En cambio el don espiritual que cada creyente tiene es muy particular. Cada cristiano ha recibido por lo menos **un** don que le capacita para poder llevar a cabo un ministerio espiritual. Tu don es **una habilidad impartida por el Espíritu Santo que te capacita para desempeñar un servicio particular que Dios te pide**.

Antes de seguir leyendo esta lección busca en tu Biblia los siguientes pasajes que, entre otros, hablan de los dones espirituales: 1 Corintios 12:4-11; Romanos 12:6-8. Apunta todos los distintos dones que encuentras en los pasajes en el punto 11 del Cuestionario correspondiente a esta lección. ¿Cuántos encontraste? Puede ser que esta lista te ayude a encontrar tu propio don.

Pablo compara la iglesia con el cuerpo humano. Cada cristiano es como un miembro del cuerpo. El ministerio total de la iglesia depende del ministerio de cada miembro. Cada miembro del cuerpo es de mucha importancia. Ninguno es **inferior** ni **superior** al otro. Tú, como todos los cristianos, tienes un profundo deseo de servir a Dios y de ayudar a otros a conocer a Jesús. El ministerio que has de llevar a cabo depende del don (o dones) que el Espíritu Santo te ha dado. Tienes que **descubrir** tu don, **dedicarlo** al Señor y **desarrollarlo** al máximo en el trabajo de la iglesia.

¿Cómo vas a descubrir tu don? Ya has leído algunos pasajes que te presentaron los dones que Dios usaba en la iglesia primitiva. Dios te puede hablar a través de la lista que hiciste. Puedes **orar** pidiendo a Dios que te guíe a encontrar tu don espiritual. Debes hablar con los hermanos mayores de la iglesia cuyas vidas reflejan el gozo de servir a Dios. Pídeles que te compartan cómo encontraron ellos sus dones. No tengas miedo de experimentar en los **múltiples ministerios** de la iglesia.

Desarrolla tu don en la obra de tu iglesia. Practica la recomendación del apóstol Pablo: "No descuides el don que hay en ti" (1 Timoteo 4:14).

Al descubrir tu don espiritual y ponerlo al servicio de la iglesia experimentarás varios resultados positivos. El ministerio en el cual estás involucrado resultará en un gozo para ti y un beneficio espiritual para otros. La **iglesia** te va a afirmar en tu ministerio y **Dios** recibirá la gloria.

CUESTIONARIO SOBRE LA LECCION 12

El Espíritu Santo y tu don espiritual

---

1. Según las palabras de Jesús, la obra del Espíritu Santo es: _____, _____, _____ y _____.

2. En el Nuevo Testamento el día cuando se cumplió la promesa de Jesús de enviar el Espíritu Santo se llama _____.

3. Según Efesios 1:13, ¿cuándo entra el Espíritu Santo en la vida de un creyente? ____ _____ _____ _____ _____ ____ _____ _____ _____ _____ _____ _____.

4. La diferencia entre el fruto del Espíritu Santo y el don del Espíritu

Santo es: El fruto te ayuda ____ _____ _____ _____ _____

_____ _____, y el don te _____ _____ _____.

5. En Gálatas 5:22, 23 aparece una lista de virtudes que son el resultado de la presencia del Espíritu Santo en la vida. El pasaje dice que son el _____ del Espíritu, y es para _____ _____.

6. El Espíritu Santo te ha dado por lo menos _____ don. Escribe a continuación la definición de qué es un don. Es _____ _____

_____ _____ _____ _____ _____ _____ ____

_____ _____ _____ _____ _____

_____ _____ _____ _____ _____.

7. Según Pablo la iglesia es como un cuerpo humano que contiene muchos miembros. Todos son importantes, por eso, ninguno es _____ ni _____ al otro.

8. Para llevar al cabo el ministerio que Dios te ha dado, tienes que _____ tu don, _____, y _____.

9. Mientras estás descubriendo tus dones, no tengas miedo de servir en los _____ _____ de la iglesia.

10. Para descubrir tu don o dones, debes _____ y pedir a Dios que te los revele. Al usarlos en tu ministerio, serás afirmado por la _____ y toda la gloria será para _____.

11. Haz una lista de los dones espirituales que se mencionan en los pasajes bíblicos de 1 Corintios 12:4-11 y Romanos 12:6-8.

_____	_____
_____	_____
_____	_____
_____	_____
_____	_____

12. En base a la lista anterior, ¿cuál crees que es tu don?

_____

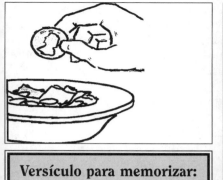

Versículo para memorizar:
1 Corintios 4:2

A l comenzar esta serie de lecciones dijimos que nuestro propósito era ayudarte a crecer "en la gracia y el conocimiento de nuestro Señor y Salvador Jesucristo" (2 Pedro 3:18). Con este fin, hemos estudiado la seguridad de tu salvación y el hecho de que ahora Cristo vive en ti. Consideramos cómo vencer la tentación y cómo volver a la comunión con Dios cuando, por desgracia, llegas a pecar. Discutimos las disciplinas que debes practicar para crecer en tu experiencia cristiana. Consideramos la necesidad de integrarte a una iglesia neotestamentaria, cómo funciona tu iglesia y las ordenanzas que el Señor dejó establecidas para la misma. También explicamos la relación que guarda tu don espiritual con el servicio que Dios espera de ti. Ahora damos fin a la serie con un tema que comprende la esencia de todos los demás: tu responsabilidad como mayordomo de Dios.

El concepto de mayordomía se encuentra por primera vez en **Génesis 2:15**. Allí leemos que "tomó, pues, Jehová Dios al hombre, y lo puso en el huerto de Edén, para que lo labrara y lo guardase".

Este pasaje bíblico señala que Dios puso la creación en las manos del **hombre** para **administrarla** y **trabajarla**. No le transfirió el derecho de propiedad, sino que lo puso como administrador o "mayordomo". Dios sigue siendo el propietario absoluto y final.

Ser mayordomo significa que sólo **administramos las cosas para Dios** y que esa administración debe ser para el mayor bien de la humanidad. El usar las propiedades para exclusivo beneficio personal y acumularlas con ese mismo fin no va de acuerdo con el plan de Dios. Dios **no** está en contra de la riqueza personal, pero sí de la riqueza egoísta y explotadora.

Cada hijo de Dios se convierte en su administrador, su mayordomo. Por lo tanto, como creyente tú eres mayordomo de Dios. ¿Cuál es, entonces, tu responsabilidad? El apóstol Pablo te la define en 1 Corintios 4:2, que es el versículo que aprenderás de memoria: "Ahora bien, se requiere de los administradores, que **cada uno sea hallado fiel.**" ¿Qué quiere decir esto?

Significa que todo lo que eres y todo lo que tienes pertenece al Señor y debe ser administrado de acuerdo con su voluntad. No puedes fraccionar tu vida en "secciones sagradas" y "secciones seculares". **Toda** la vida es sagrada. Si dedicas parte de tu tiempo a servir a Dios, esto no quiere decir que quedas en libertad después para hacer lo que quieras con el tiempo que te resta. Si contribuyes con parte de tu dinero para la obra de Dios, no tienes el derecho de gastar después todo lo demás sin tomar en cuenta la voluntad del Señor.

Como símbolo y recuerdo de que tu vida entera le pertenece, Dios te pide que le dediques **un día de cada siete, y diez centavos de cada cien** (Exodo 20:8-11; Malaquías 3:10). Cuando consagras el **Día de Reposo** a la adoración a Dios, y cuando entregas el **diezmo** a la obra de Dios estás dando un testimonio doble. Por un lado, das testimonio de **gratitud** por bendiciones pasadas. Estás diciendo, como el sabio Salomón: "Pues todo es tuyo, y de lo recibido de tu mano te damos" (1 Crónicas 29:14b). Por otro lado, das testimonio de tu **fe** en los futuros cuidados del Señor. Te basas en la promesa de Jesús: "Mas buscad primeramente el reino de Dios y su justicia, y todas estas cosas os serán añadidas" (Mateo 6:33).

En su sabiduría, Dios estableció un sistema **justo** y **equitativo** para que sus hijos le adoren mediante sus bienes. El hecho de que tú tengas riquezas o no, o que ganes mucho o poco, **no** influye en tu responsabilidad en cuanto a ser un buen mayordomo. Dios te ha dado bienes (muchos o pocos) y sobre ellos eres responsable ante él.

El motivo que debe inspirarte a cumplir tu obligación de dar no debe ser el temor. El diezmo es un canal para la **bendición de Dios**. El Señor Jesús afirmó que **es más feliz el que da que el que recibe** (Hechos 20:35). El que diezma y ofrenda para la obra de Dios se transforma en su socio para sus propósitos redentores. Al dar estás participando del ministerio en todo sentido y en todo lugar.

Cuando tú comprendes qué significa ser mayordomo, te das cuenta de que tu responsabilidad ante el Señor abarca mucho más que tu **dinero**. En realidad abarca todo: tu **personalidad**, tus **talentos** y **dones**, tus **bienes**, tu **tiempo**, tu **familia**, etc. Es decir, Dios espera de ti una mayordomía total. Dios ha entregado muchas riquezas en tus manos y él quiere que seas un buen administrador de todas.

Nuestro deseo al despedirnos es que un día oigas a tu Salvador diciéndote: "Bien, buen siervo y fiel; sobre poco has sido fiel, sobre mucho te pondré; entra en el gozo de tu señor" (Mateo 25:23).

CUESTIONARIO SOBRE LA LECCION 13

Eres un mayordomo de Dios

1. ¿En qué lugar de la Biblia se encuentra por primera vez el concepto de la mayordomía? _____.

2. De acuerdo con este pasaje ¿a quién puso Dios como responsable de su creación? Al _____.

3. ¿Qué debía hacer con la creación? _____ y _____.

4. ¿Cuál es nuestra función como mayordomos? _____ _____ _____ _____ _____.

5. ¿Está Dios en contra de las riquezas? _____

6. ¿Según 1 Corintios 4:2, ¿qué esperaba Dios de sus administradores? Que _____ _____ _____ _____ _____.

7. ¿Qué parte de tu vida es consagrada y le pertenece a Dios? _____.

8. ¿Qué pide Dios que le dediques de manera especial? _____ _____ _____ _____ _____, ____ _____ _____ _____ _____ _____.

9. ¿Cómo llamamos a esto? Consagrar el _____ ____ _____ y entregar el _____ para Dios.

10. Al hacer esto estás dando testimonio de dos cosas. ¿Cuáles son? Tu _____ y tu _____.

11. ¿Cómo es el sistema de diezmo que Dios estableció? _____ y _____.

12. ¿Influye en tu responsabilidad de mayordomo si eres rico o no? _____

13. El dar el diezmo con gozo es un canal para la _____ ____ _____.

14. ¿Qué enseñó Jesús en Hechos 20:35? Que _____ _____ _____ _____ _____ _____ _____ _____ _____.

15. Haz una lista de los elementos de tu vida afectados por la mayordomía. _____, _____, _____, _____, _____, _____, _____.

Versículos para memorizar

En las páginas siguientes encontrarás los versículos para memorizar en cada lección. Tú puedes:

✄ **Recortar cada tarjeta por la línea marcada, y llevarla contigo para repasar durante la semana.**

✏ **Marcar el casillero a medida que lo aprendes.**

1 **Juan 5:24**
De cierto, de cierto os digo: El que oye mi palabra, y cree al que me envió, tiene vida eterna; y no vendrá a condenación, mas ha pasado de muerte a vida.

Juan 3:16
Porque de tal manera amó Dios al mundo, que ha dado a su Hijo unigénito, para que todo aquel que en él cree, no se pierda, mas tenga vida eterna.

2   Gálatas 2:20

Con Cristo estoy juntamente crucificado, y ya no vivo yo, mas vive Cristo en mí; y lo que ahora vivo en la carne, lo vivo en la fe del Hijo de Dios, el cual me amó y se entregó a sí mismo por mí.

3   1 Corintios 10:12-14

Así que, el que piensa estar firme, mire que no caiga. No os ha sobrevenido ninguna tentación que no sea humana; pero fiel es Dios, que no os dejará ser tentados más de lo que podéis resistir, sino que dará también juntamente con la tentación la salida, para que podáis soportar. Por tanto, amados míos, huid de la idolatría.

4   1 Juan 1:9

Si confesamos nuestros pecados, él es fiel y justo para perdonar nuestros pecados, y limpiarnos de toda maldad.

5   Josué 1:8

Nunca se apartará de tu boca este libro de la ley, sino que de día y de noche meditarás en él, para que guardes y hagas conforme a todo lo que en él está escrito; porque entonces harás prosperar tu camino, y todo te saldrá bien.

6   Juan 16:24

Hasta ahora nada habéis pedido en mi nombre; pedid, y recibiréis, para que vuestro gozo sea cumplido.

7   Hebreos 10:24, 25

Y considerémonos unos a otros para estimularnos al amor y a las buenas obras; no dejando de reunirnos, como algunos tienen por costumbre, sino exhortándonos; y tanto más, cuanto veis que aquel día se acerca.

61

8   **Efesios 4:11, 12**

Y él mismo constituyó a unos, após-toles; a otros, profetas; a otros, evan-gelistas; a otros, pastores y maes-tros, a fin de perfeccionar a los san-tos para la obra del ministerio, para la edificación del cuerpo de Cristo.

9   **Mateo 28:19, 20**

Por tanto, id, y haced discípu-los a todas las naciones, bautizándo-los en el nombre del Padre, y del Hijo, y del Espíritu Santo; enseñán-doles que guarden todas las cosas que os he mandado; y he aquí yo estoy con vosotros todos los días, hasta el fin del mundo. Amén.

1 Corintios 11:26
Así, pues, todas las veces que comiereis este pan, y bebiereis esta copa, la muerte del Señor anunciáis hasta que él venga.

10   **1 Corintios 10:31, 32**

Si, pues, coméis o bebéis, o hacéis otra cosa, hacedlo todo para la glo-ria de Dios. No seáis tropiezo ni a judíos, ni a gentiles, ni a la iglesia de Dios.

11   **2 Timoteo 1:7, 8a**

Porque no nos ha dado Dios espíritu de cobardía, sino de poder, de amor y de dominio propio. Por tanto, no te avergüences de dar testimonio de nuestro Señor.

12   **1 Corintios 6:19**

¿O ignoráis que vuestro cuerpo es templo del Espíritu Santo, el cual está en vosotros, el cual tenéis de Dios, y que no sois vuestros?

13   **1 Corintios 4:2**

Ahora bien, se requiere de los administradores, que cada uno sea hallado fiel.

CERTIFICADO

_____
(Nombre)

Ha completado satisfactoriamente

LECCIONES PARA NUEVOS CREYENTES

Firma del Instructor _____

Iglesia _____

Ciudad _____

Fecha _____